Yolande Beausoleil
780 Ave J J Joubert
Laval PQ H7G 4J3

Les Premiers Américains

Les Origines de l'Homme

Les Premiers Américains

par Robert Claiborne
et les Rédacteurs
des Éditions TIME-LIFE

EDITIONS
TIME
LIFE

TIME-LIFE International (Nederland) B.V.

L'auteur : ROBERT CLAIBORNE ancien rédacteur pour les
Éditions TIME-LIFE, est avant tout spécialisé dans les questions
de médecine et d'écologie. Il est co-auteur de *Time*, un ouvrage
de la collection LIFE Le Monde des Sciences paru sous le titre
français de *l'Homme et le Temps*, et auteur à part entière de
Climate, Man and History et *On Every Side the Sea*.

Couverture : Recouverts de peaux de caribou et la tête
surmontée d'andouillers, deux chasseurs s'arrêtent pour observer
leur proie : un troupeau de caribous que l'on voit à distance. Les
anthropologues estiment que ce fut au cours de randonnées de
chasse toujours plus lointaines que ces nomades venus d'Asie
franchirent à pied sec l'isthme de Béring qui, au maximum de la
dernière glaciation, reliait la Sibérie à l'Alaska. C'est ainsi qu'il y a
au moins 25 000 ans, les hommes atteignirent l'Amérique du Nord.

*Cette scène ainsi que celles des pages 23-33 ont été reconstituées
par montage : des dessins d'homme préhistorique réalisés par
Burt Silverman ont été surimposés sur des photographies de paysages
semblables à ceux que connurent ces hommes, lorsqu'ils passèrent
d'Asie en Amérique du Nord par l'isthme de Béring.*

Traduit de l'anglais par Simon Noireaud.

Table des matières

Introduction

Les premiers Européens qui atteignirent l'hémisphère occidental au XVe siècle rencontrèrent un monde riche et diversifié, mais il s'agissait d'un continent qui était déjà habité depuis des millénaires. Les Européens n'étaient aucunement préparés à comprendre les peuples qu'ils allaient découvrir. Ils ne surent pas assimiler des cultures qui leur paraissaient très exotiques et très différentes des leurs; au contraire, ils considéraient les Indiens comme des sauvages qu'il fallait convertir à la façon de vivre européenne aussi rapidement que possible.

Dans leur hâte de conquérir les terres, les Européens négligèrent complètement les racines qui rattachaient les Indiens à un passé lointain et fascinant. En Amérique, vivaient des peuples qui avaient presque totalement échappé aux influences extérieures. Les deux Amériques, comme l'Australie, avaient vécu durant des siècles sans contact réel avec le reste du monde. Cependant, contrairement a l'Australie, le Nouveau Monde possédait des cultures avancées en constante évolution, une agriculture prospère et des villes et un commerce en pleine croissance.

Examinons quelques-unes de ces réalisations à l'actif des premiers Américains, en ce qui concerne l'Amérique du Nord. Ces hommes étaient venus de Sibérie par l'Alaska, bandes de chasseurs nomades lancées à la poursuite d'animaux qui ont depuis longtemps disparu : les bisons géants et les mammouths. Des milliers d'années plus tard, leurs descendants cultivaient les terres arides du Sud-Ouest et construisaient des maisons à appartements de plusieurs étages, les « pueblos ». Pendant ce temps, dans les vallées du Sud-Est, d'autres anciens Américains avaient fondé des centres urbains importants et complexes, cités-états basées sur une agriculture et un commerce florissants. Enfin, sur la côte nord-ouest du Pacifique, des populations indigènes exploitaient si intelligemment les ressources naturelles que, sans même travailler la terre, ces tribus développèrent une brillante culture et amassèrent des richesses considérables.

Il est évident que le monde eût été transformé d'une toute autre manière si les premiers Américains avaient conquis l'Ancien Continent et répandu la culture américaine aux quatre coins du globe. Mais, malheureusement, il n'en fut rien, et tout ce qui a survécu de leur magnifique passé préhistorique, c'est ce que nous en savons aujourd'hui. L'importance de ce passé est souvent sous-estimée. Les manuels scolaires font débuter l'histoire américaine à l'arrivée des Européens et ne décrivent que sommairement les 30 000 ans de son développement culturel autochtone. Cet ouvrage nous raconte l'histoire de cette culture telle qu'elle se développa sur le continent nord-américain. Il s'agit d'une épopée passionnante qui doit être reconstituée morceau par morceau à partir des indices fragiles fournis par l'archéologie, en l'absence totale de documents écrits. Mais l'étude de l'Amérique préhistorique, depuis les toundras gelées de l'Alaska jusqu'aux rives brûlées par le soleil du Mississippi inférieur, nous a révélé un éventail de cultures diverses et imbriquées qui se sont développées au point de devenir parfois, au cours des siècles, de spectaculaires réussites.

James Deetz
Université Brown

Chapitre un :
Les premiers hommes du Nouveau Monde

Un jour, un Indien fut le témoin d'une discussion entre deux Blancs qui débattaient de la question de savoir si c'était Christophe Colomb ou Leif Ericson (fils du Viking Éric le Rouge) qui avait vraiment découvert l'Amérique. On dit que l'Indien s'exclama : « Il ne découvrirent rien du tout! Nous, nous savions qu'elle était là depuis toujours! » Il n'existe aucun doute sur le fait que les premiers hommes qui ont atteint le Nouveau Monde ne furent ni les Normands, ni les Génois, mais les membres de quelques bandes inconnues de primitifs d'où descendent les Indiens d'aujourd'hui. Mais comment et à quelle époque ceux-ci sont-ils arrivés en Amérique? C'est là l'une des énigmes les plus déroutantes et les plus discutées de la préhistoire, problème dont nous commençons à peine à entrevoir la solution. Après avoir envahi le continent, ils développèrent progressivement une ahurissante diversité de cultures comprenant des sociétés incroyablement riches et complexes comme les « Mound Builders » (constructeurs de tumulus)* du Midwest, dont notre époque commence seulement à apprécier les réalisations. Loin d'être des chasseurs grossiers, ils vivaient dans de grands centres urbains, pratiquaient une agriculture intensive et bâtissaient d'énormes monuments; ces gens étaient des hommes d'affaires avisés qui exploitaient des usines, fabriquaient de la poterie et se livraient à un commerce export-import sur des milliers et des milliers de kilomètres de pistes et de cours d'eau.

Pour développer cette première civilisation, les paléo-Indiens durent dominer un continent immense, mais vierge, et apprendre à s'adapter à une extraordinaire variétés d'habitats. Pour nous limiter à l'Amérique du Nord, c'est-à-dire la partie du continent située au-dessus du Mexique actuel (région qui constitue le sujet de ce livre), les nouveaux habitats de l'homme comprenaient : le désert sub-tropical dans le Sud-Ouest, les forêts et les fjords riches et humides de la côte nord-ouest, l'immensité de la prairie dans les grandes plaines, les terres boisées qui s'étendaient des régions sub-arctiques aux contrées sub-tropicales et même à la toundra désolée encerclant les mers polaires. On sait qu'à l'époque où il occupa le Nouveau Monde, l'homme de l'Ancien Continent avait déjà une longue expérience (d'au moins un million d'années) d'habitats et de systèmes écologiques différents, depuis le moment où il quitta ses tropiques natals pour se répandre sur la surface du globe. Mais ces premiers explorateurs européens et asiatiques restaient des créatures primitives dont l'acclimatation écologique première se développa à un rythme incroyablement lent, et ils n'ont laissé que peu de traces. Par contre, les conquérants du Nouveau Monde furent de toute évidence des hommes comme nous, c'est-à-dire *Homo sapiens sapiens,* du type de Cro-Magnon, et leur dispersion à travers cet immense continent, comparée aux mouvements de population de leurs ancêtres, s'est déroulée à un rythme accéléré rappelant celui des vieux films muets. Bien que les premières phases de ce processus restent encore mal définies, la reconstitution en est notablement facilitée par le fait que les phases les plus récentes ont été observées et rapportées en détail par des observateurs savants à la plume facile, sinon toujours exacte. En Europe et (à quelques exceptions près) en Asie, l'homme de l'âge de pierre vécut et mourut sans témoins. Dans le Nouveau Monde, certains de nos trisaïeuls en côtoyèrent les derniers survivants.

Les spéculations sur les véritables inventeurs de l'Amérique commencèrent aussitôt que l'on eut compris que les aborigènes n'étaient pas, comme le croyait Christophe Colomb, originaires des Indes orientales, même si l'on continue à donner à ces habitants le nom

Fier descendant des premiers occupants de l'Amérique du Nord, ce Sioux du Nebraska, photographié en 1907, présente une chevelure raide, des yeux noirs et une absence totale de barbe qui le désignent clairement comme un Indien. En dépit des ressemblances physiques qu'ils présentaient, les Indiens devinrent des peuples extrêmement diversifiés. Ils surent s'adapter, au cours de millénaires, à de nombreux milieux différents sur le continent; c'est ainsi qu'ils développèrent des cultures largement différenciées et qu'ils parlaient au total plus de 200 langues ou dialectes ne rappelant d'aucune façon ceux de leurs ancêtres asiatiques.

* Mound Builders : littéralement « constructeurs de monticules ». Terme général qui s'applique à différentes cultures et époques des États-Unis (constructions de tumulus, tertres funéraires, pyramides, temples à soubassements, etc.). Voir dans Bibliographie F.C. Hibben (l'Homme primitif américain, chapitre XII) qui explique la terminologie des divers préhistoriens (N.d.t.).

mal choisi d'Indiens. Il fut un temps où on ne pensait pas qu'ils fussent des êtres humains; après tout, il n'en était pas fait mention dans la Bible. Cependant, en 1512, le pape déclara officiellement que les Indiens du Nouveau Monde étaient de véritables descendants d'Adam et Ève. Comme tels, il était donc évident qu'ils venaient de l'Éden de l'Ancien Monde.

L'une des plus anciennes et des plus tenaces théories ayant trait à l'origine des Indiens — que quelques personnes soutiennent encore — identifiait ceux-ci à des descendants des « Tribus d'Israël » qui, d'une manière quelconque, auraient atteint le Nouveau Monde. William Penn et le théologien Cotton Mather, de la Nouvelle-Angleterre, soutenaient cette doctrine, et ce dernier proclamait que les Indiens, loin d'avoir émigré en Amérique, y avaient été amenés par le diable en personne. D'autres écrivains les assimilaient à une variété incroyable de peuples, soit réels, soit légendaires. Ainsi on citait le nom des Grecs, Troyens, Phéniciens, Romains, Égyptiens, Éthiopiens, Français, Anglais, Gallois, Danois, ainsi que les habitants des continents perdus de l'Atlantide et de Mu (terres légendaires qui seraient englouties sous les mers actuelles).

Assez curieusement, toutefois, des commentateurs plus sérieux avaient très rapidement réuni les éléments de la réponse correcte. En 1590, un jésuite espagnol, José de Acosta, écrivait : « Il semble improbable qu'il ait jamais existé une seconde arche de Noé sur laquelle des hommes aient pu être transportés jusqu'aux Indes; il est encore plus improbable que ce soient les anges qui aient transporté les premiers hommes dans ce Nouveau Monde en les tenant par les cheveux comme il arriva au prophète Habacuc... J'en conclus donc qu'il est vraisemblable que le premier individu aborda aux Indes à la suite d'un naufrage provoqué par une tempête. » De Acosta, cependant, comprit que ce « naufrage » expliquait difficilement comment les animaux étaient arrivés en Amérique! Il décida que, quelque part au nord, il avait dû exister une partie de terre ferme qui reliait l'Amérique à l'Ancien Monde, ou au moins « une suite de terrains sur lesquels les animaux avaient marché ». Cela fut dit près d'un siècle et demi avant que Vitus Béring ne franchît à la

voile le détroit qui porte aujourd'hui son nom, et qui « sépare » l'Amérique de l'Asie par moins de 100 kilomètres d'eau (par temps clair, lorsqu'on se trouve au milieu du détroit, on aperçoit simultanément les deux continents).

Une génération après de Acosta, un Anglais, Edward Brerewood, tenta de retrouver le lieu d'origine des Indiens et, si l'on considère les rares informations dont il disposait, il y réussit de façon étonnante. En raison de leur couleur, concluait-il, les Indiens « ne sont pas de race africaine ». De plus, « ils ne gardent ni traces ni ressemblance pour ce qui est des Arts, de l'Europe », pas plus, en fait, que de la Chine ou d'autres contrées civilisées d'Asie. Il ne restait qu'une seule origine possible : les « Tartares », terme plutôt vague se rapportant aux habitants de l'Asie du centre et du Nord-Est dont, selon Brerewood, la culture grossière et barbare se retrouvait en Amérique. Comme de Acosta, il supposa qu'une jonction terrestre avait relié d'une manière quelconque l'Ancien Monde et le Nouveau; il plaçait cet isthme précisément là où Béring devait passer plus tard : dans « cette partie nord-est de l'Asie habitée par les Tartares ».

Brerewood se trompait lorsqu'il assimilait les cultures indiennes et « tartares ». Il existait peu de ressemblances entre elles. Mais sa conclusion, bien qu'amenée par de fausses raisons, était correcte. Les Indiens ressemblaient davantage aux Asiatiques qu'à tout autre peuple. Quelque deux siècles plus tard, le grand naturaliste Alexandre de Humbolt insistait sur les véritables ressemblances — caractères physiques — lorsqu'il notait une analogie frappante entre les Américains et la race mongole, ce dernier terme se référant à ces peuples de l'Asie orientale que les anthropologues actuels nomment mongoloïdes. Aujourd'hui, l'anthropologie physique a confirmé les théories de Humbolt. Bien qu'il ne soit vrai d'aucune manière que, ainsi que le disaient souvent les premiers voyageurs, « lorsqu'on a vu une tribu d'Indiens, on les a toutes vues », ceux-ci se ressemblent bien davantage que les habitants de l'Europe ou d'Afrique. En outre, la plupart des traits communs aux Indiens se retrouvent parmi les peuples mongoloïdes qui vivent en Asie orientale, de la Sibérie à l'Indonésie.

Le teint des Indiens est moyen, ce qui signifie qu'ils ne sont ni blancs, ni brun foncé, ni noirs. Leur couleur va du blanc jaune sale à la teinte « chocolat au lait léger », la majorité des individus étant de couleur bronze ou cuivrée. Les yeux sont brun foncé; le système pileux est noir et raide, la chevelure abondante (les chauves sont rares), mais le poil est peu fourni sur le reste du corps. Les pommettes sont presque invariablement larges, ce qui donne aux yeux un aspect allongé. La ressemblance la plus frappante peut-être entre Indiens et Asiatiques de l'Est est un trait curieux : les incisives en pelle, c'est-à-dire que les surfaces internes des dents de devant de la mâchoire supérieure sont concaves comme si elles avaient été creusées. Tant chez les Indiens que chez les Asiatiques de l'Est, l'incidence de ce trait atteint 90 % ou plus tandis qu'elle n'est que de 15 % ou moins chez les autres peuples. Il existe d'autres ressemblances plus marquées sur lesquelles nous n'insisterons pas : aucun scientifique actuel ne doute que les Indiens américains ne soient génétiquement très proches des peuples actuels de l'Asie orientale.

Mais si les Indiens sont clairement apparentés aux Mongoloïdes d'Asie, il reste également évident qu'ils ne leur sont pas identiques. La différence la plus apparente est aussi visible que le nez sur le visage de Sitting Bull* : il s'agit du nez en « bec d'aigle » caractéristique des Indiens. Bien qu'elle ne soit pas universellement répandue chez ceux-ci, cette forme nasale se rencontre très fréquemment. Par contre, ce trait reste pratiquement inconnu en Asie orientale, dont la plupart des habitants ont un profil nettement aplati. De plus, bien que les yeux des Indiens soient souvent étroits, ils ne sont presque jamais bordés de paupières à pli et de l'excroissance charnue qui donnent aux Asiatiques ces yeux fendus en amande si particuliers. Bref, les Indiens doivent représenter une branche distincte et indépendante de la lignée asiatique, qui a dû émigrer de Sibérie à une époque reculée, avant que les Asiatiques de l'Est n'aient encore développé d'autres caractéristiques spéciales.

Beaucoup plus proches parents des Asiatiques de l'Est sont ces autres Américains d'origine, les Esquimaux et leurs cousins, les Aléoutes de l'Alaska. La plupart,

s'ils étaient convenablement vêtus, ne se remarqueraient pas dans la foule des rues de Pékin ou de Tokyo. Leur étroite ressemblance avec les Mongoloïdes modernes révèle que les Esquimaux et les Aléoutes ont émigré en Amérique beaucoup plus récemment que les Indiens. Confirmation de ce trait physique commun, les langues pratiquées par les Esquimaux ou les Aléoutes et celles qui survivent en Asie du Nord-Est, comme le kamchadal et le tchouktche, montrent des affinités; aucune parenté de ce genre ne se retrouve parmi les langues des Indiens américains.

Si la plupart des anthropologues admettent maintenant que les premiers Américains sont venus de l'Asie du Nord-Est, et qu'ils ont atteint le Nouveau Monde par la région du détroit de Béring, la science a longuement discuté, et souvent avec âpreté, pour savoir « comment » ces envahisseurs sont arrivés jusque-là, et spécialement à quelle époque se place la migration. La réponse à la première question est étroitement liée à la solution de la seconde. Les estimations portant sur l'ancienneté de l'homme au Nouveau Monde ont été presque aussi diverses et parfois aussi fantastiques que les anciennes théories concernant ses antécédents raciaux ou culturels. Au XIXᵉ siècle, un professeur argentin découvrit un crâne qu'il prétendit vieux d'un million d'années : cela prouvait, dit-il, que *Homo sapiens* était originaire d'Amérique (d'Argentine, évidemment). Cette théorie et d'autres du même acabit déterminèrent une réaction au XXᵉ siècle : la rumeur se répandit que l'homme américain était, relativement parlant, un nouveau venu. L'idée d'une apparition récente des hommes en Amérique rallia la majorité des principaux anthropologues américains parmi lesquels le plus célèbre de tous, Ales Hrdlicka, de la Smithonian Institution.

Hrdlicka insistait fermement sur le point que toute

---

* Sitting Bull (Taureau assis), né dans le Dakota du Sud en 1831, dirigea la Confédération des Sioux de la Prairie dans la lutte contre les troupes américaines, de 1864 à 1877, et ses troupes tuèrent le célèbre général George A. Custer. L'Indien fit sa reddition définitive en 1883 et se consacra dès lors à lutter vainement contre les pertes des territoires de sa race. Arrêté par la police en 1890, il fut tué alors que ses guerriers tentaient de le délivrer. (N. d. t.)

spéculation sur l'immigration de l'homme en Amérique, eu égard aux os fossiles et aux outils découverts et qui pouvaient être datés avec certitude, ainsi que tous les indices l'avaient conduit à affirmer ceci : l'homme n'avait atteint le Nouveau Monde que longtemps après la fin des dernières périodes glaciaires, c'est-à-dire lorsque les glaciers qui recouvraient autrefois une grande partie de l'Amérique du Nord eurent disparu et que de nombreuses espèces animales contemporaines des glaces se furent éteintes. Quiconque suggérait une occupation humaine pré-glaciaire ou même consécutive au début du post-glaciaire pouvait s'attendre à une violente contradiction de la part de Hrdlicka. Ainsi, avant 1925, peu d'archéologues eussent consenti à risquer leur carrière en déclarant, tout au moins en public, que l'Amérique avait été peuplée antérieurement aux derniers millénaires précédant l'ère chrétienne. Dans ce cas, les premiers arrivants devaient avoir traversé le détroit de Béring en bateau, hypothèse raisonnable puisque des peuples maritimes, ailleurs dans le monde, naviguaient déjà à l'époque.

La découverte qui commença à ruiner la théorie officielle du voyage maritime du premier Américain aux temps post-glaciaires est due à un homme dont le nom ne figure presque jamais dans les ouvrages d'archéologie américaine. George McJunkin n'avait rien d'un archéologue : c'était un Noir du Nouveau-Mexique qui exerçait le métier de cow-boy. Un jour du printemps de 1926, il suivait à cheval la rive d'un profond *arroyo* près de la ville de Folsom, à la recherche de bétail perdu. Regardant sur la rive opposée, son attention fut attirée par la présence d'une couche d'ossements blanchis enfouis à quelque 7 mètres en dessous du sommet. Heureusement pour la science, McJunkin possédait non seulement de bons yeux, mais une certaine curiosité. Il était bien sûr expert en os de bétail, mais il lui sembla étrange d'en voir sortir du sol à quelque 7 mètres sous la surface. Il escalada la falaise de l'*arroyo*, commença à creuser au couteau parmi les os et eut vite fait de déterrer de nombreux outils de silex. Ceux-ci rappelaient les pointes de flèches fréquemment découvertes dans la région, mais leurs formes ne ressemblaient à aucune de celles que McJunkin avait jamais vues : les tranchants étaient presque parallèles et

Trois os fossiles d'un bison et la pointe de jet en silex (au fond à gauche) qui tua la bête apparaissent ici, encore enrobés dans l'argile où ils furent découverts près de Folsom, au Nouveau-Mexique. Cette trouvaille ruina la croyance selon laquelle l'homme était en Amérique un immigrant récent. En effet, ce bison appartenait à une espèce éteinte depuis quelque 10 000 ans, ce qui prouvait qu'un chasseur se servant de pointes de silex vivait déjà là à cette époque lointaine.

non coniques ; à la base, un éclat avait été enlevé, laissant une courbe concave, et les deux côtés présentaient une rainure. Les os, lorsqu'il en dégagea quelques-uns de la falaise, lui parurent également étranges : ils semblaient nettement plus massifs que des ossements de n'importe quel bovidé connu et étaient curieusement blanchis et crayeux.

De retour à son ranch, McJunkin réfléchit à ses trouvailles et en parla avec ses voisins ainsi qu'aux gens de Folsom. Finalement, la nouvelle parvint aux oreilles de J. D. Figgins, directeur du Muséum d'histoire naturelle du Colorado. Figgins se procura quelques échantillons de ces os et déclara, comme McJunkin l'avait deviné, qu'il ne s'agissait pas d'ossements de bovidé actuel. C'étaient plutôt des os de bisons, non du bison moderne, mais d'une espèce éteinte, de plus forte taille, et dont les longues cornes rappelaient celles du « longhorn » du Texas ; ces bisons étaient venus à extinction à la fin de l'époque glaciaire, quelque 10 000 ans auparavant.

La découverte de ces vieux os n'était pas particulièrement étonnante ; l'espèce *Bison taylori* avait déjà été découverte dans d'autres sites, dont le plus ancien se situait précisément dans la région de Folsom. Mais que dire de pointes de silex faites par l'homme et trouvées « en place », mêlées aux os d'un bison qui vivait à l'âge de glace ? Suivant la théorie officielle, une telle association était impossible. Figgins décida de se rendre à Folsom et d'enquêter sur place. Il dut exécuter un long et minutieux travail de fouilles avant que ses confrères, sceptiques, ne fussent convaincus. Ces derniers décrétaient que la juxtaposition des silex et des os était fortuite, et finalement Figgins dut inviter quelques-uns des critiques les plus incrédules à visiter les sites où ils purent constater eux-mêmes la présence d'une pointe de silex encore fichée entre deux côtes de bison.

Alors se produisit un événement extrêmement rare dans les annales archéologiques : le monde scientifique fut pratiquement unanime à reconnaître que cette trouvaille signifiait bien ce qu'elle semblait dire. La découverte fait par McJunkin et Figgins des chasseurs de bisons de Folsom prouvait que l'homme était entré au Nouveau Monde au cours de l'âge de glace. Quelques années plus tard, en 1932, toujours au Nouveau-Mexique, un site près de Clovis livra des ossements d'animaux éteints associés avec des pointes de silex qui différaient de celles de Folsom. Mais ces silex furent découverts sous un niveau inférieur aux couches de terre contenant des pointes de Folsom ; bref, cela repoussait l'ancienneté de l'homme au Nouveau Monde à une époque encore plus reculée, 12 000 ans environ.

Ces découvertes remirent à l'ordre du jour le second problème : comment l'homme avait-il pu atteindre le Nouveau Monde ? Car, si, comme cela était désormais indéniable, il était parvenu aussi loin au sud que le Nouveau-Mexique vers la fin de la dernière glaciation, le « premier Américain » dut quitter la Sibérie au moins quelques milliers d'années auparavant. A cette époque, il n'eut nul besoin de canot pour gagner l'Amérique du Nord comme ce fut sans doute le cas pour les derniers arrivés, Esquimaux et Aléoutes ; le premier Américain ne rencontra même pas les traces de la banquise dangereuse et morcelée qui, aujourd'hui encore, sur 100 km, obstrue, à l'occasion, le détroit de Béring au cœur de l'hiver. Les nomades préhistoriques ont pu traverser la région à pied sec.

Un isthme existait alors entre l'Asie et l'Alaska ; il avait émergé lorsqu'au maximum de la dernière glaciation américaine des masses énormes de glace avaient fixé, en les gelant, des millions et des millions de kilomètres cubes d'eau qui, normalement, remplissaient les océans. Cette diminution de l'eau libre provoqua un abaissement du niveau de la mer de Béring de plus de 100 mètres ; cet assèchement était suffisant pour transformer les hauts fonds du détroit de Béring en isthme reliant les deux continents. Le mot « isthme » ne convient pas ici exactement car il suggère une bande de terre étroite. En fait, la Béringie, comme les géologues ont appelé cette terre aujourd'hui submergée, dut, au maximum de son extension, représenter 1 500 km de large, ce qui en faisait le plus grand isthme jamais connu.

Les migrations de la faune glaciaire à travers la Béringie ont fourni à l'origine la plupart des espèces animales actuelles ou récemment éteintes de l'Amérique du Nord et de l'Eurasie ; les troupeaux qui migrèrent de Sibérie comprenaient des bisons, des élans, des mammouths, des caribous et des bœufs musqués, dont beaucoup ne survécurent pas au retrait des glaciers. Une migration animale se produisit en sens inverse, de l'Amérique vers l'Asie : ce fut le cas des renards, des marmottes et, auparavant, des ancêtres du cheval moderne, ainsi que du chameau et du loup. Si les premiers Américains étaient des chasseurs de gros gibier, comme les découvertes de Folsom et de Clovis l'indiquent, quoi de plus naturel qu'ils aient suivi les animaux dans les migrations d'Asie en Amérique ?

A l'époque où les découvertes de Folsom et de Clovis établirent que les hommes avaient atteint le Nouveau Monde en traversant un isthme, la science ne possédait aucun moyen fiable pour calculer l'époque de cette migration, les méthodes de datation étant encore rudimentaires. Ce problème fut résolu à la fin des années 40, avec l'invention de la méthode dite du carbone 14 qui donnait l'âge des fossiles en mesurant leur taux d'atomes de carbone radioactif. Les tests au carbone 14 révélèrent que la culture de Folsom débuta il y a environ 11 000 ans, et que celle de Clovis datait d'un millénaire de plus. Pour avoir atteint le centre du continent à une telle époque, les arrivants durent traverser la Béringie en direction de l'Alaska il y a 15 000 ans au plus tard. Cette époque marque la fin de la dernière glaciation : les masses d'eau libérées par la fonte des glaciers élevaient le niveau marin, et l'isthme de Béring fut progressivement submergé.

Cette solution apparemment satisfaisante de la vieille énigme posée par les ancêtres des Indiens apparut bientôt n'être qu'une demi-solution. De nouvelles découvertes, et d'autres qui confirmaient les premières, continuèrent à reculer encore l'âge du premier Américain. Chaque nouvelle datation obtenue soulevait de nouveaux problèmes sur la façon dont ces hommes étaient arrivés.

Parmi les preuves fossiles que l'on devait expliquer, citons les os de mammouths nains qui furent découverts dans l'île de Santa Rosa, au large de la côte sud de Californie. Ces ossements avaient été fendus et brûlés dans ce qui semblait être des foyers faits de main d'homme; en outre, la datation effectuée au carbone 14 leur attribuait une ancienneté de 29 000 ans. D'autres découvertes, telles que les objets façonnés et les os de

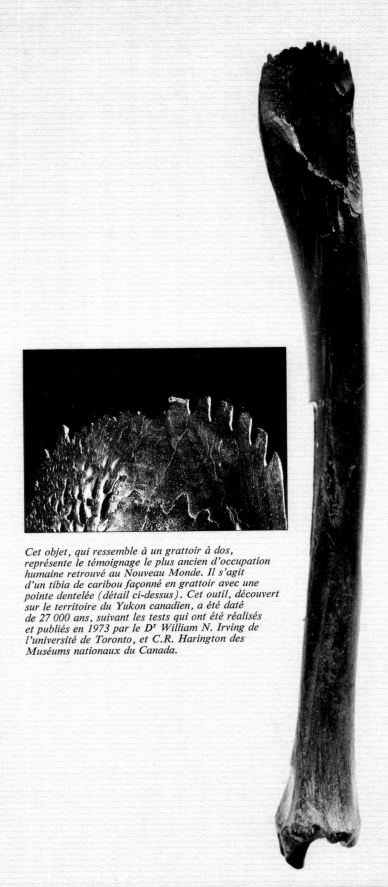

Cet objet, qui ressemble à un grattoir à dos, représente le témoignage le plus ancien d'occupation humaine retrouvé au Nouveau Monde. Il s'agit d'un tibia de caribou façonné en grattoir avec une pointe dentelée (détail ci-dessus). Cet outil, découvert sur le territoire du Yukon canadien, a été daté de 27 000 ans, suivant les tests qui ont été réalisés et publiés en 1973 par le Dr William N. Irving de l'université de Toronto, et C.R. Harington des Muséums nationaux du Canada.

mammouth déterrés à Valsequillo, dans le centre du Mexique, furent datés de 20 000 ans. Dans un site, à La Jolla, en Californie, des morceaux de charbon de bois se virent attribuer une ancienneté à peine moindre. Enfin sur le territoire du Yukon, au Canada, c'est-à-dire à l'entrée d'un des principaux couloirs qui permettaient, durant l'âge de glace, de franchir les glaciers qui recouvraient alors l'Amérique du Nord, on exhuma un grattoir de 25 cm, fabriqué dans un os long de caribou. En 1972, la méthode du radio-carbone lui fut appliquée et l'âge de cet outil put être évalué à 27 000 ans, suggérant ainsi que l'homme devait déjà se trouver dans le Grand Nord, en route vers le sud, à cette époque reculée.

Les archéologues ne manquèrent pas de souligner qu'aucune de ces dates ne pouvait être considérée comme définitive. Les os de Santa Rosa ont pu avoir été brûlés par un incendie de brousse, et l'association de charbon de bois et d'os datables avec de l'outillage humain peut être éventuellement attribuée à une simple coïncidence. Le grattoir de caribou fut découvert alors qu'il s'était détaché d'une berge de rivière. Puisqu'il ne fut pas trouvé dans sa couche originale, cette datation de 27 000 ans ne pouvait être confrontée avec l'ancienneté de la couche géologique. Enfin, il était même possible que l'os fût authentiquement aussi ancien, mais que, après plusieurs millénaires, un Indien l'ait ramassé et en ait fabriqué un grattoir (récent). De tels arguments ne manquaient pas de valeur. Cependant, pour un nombre toujours croissant de spécialistes, tous ces témoignages qui, isolément, n'étaient pas concluants, renforçaient globalement l'hypothèse suivant laquelle l'arrivée de l'homme au Nouveau Monde remontait à plus de 25 000 ans. Bref, dans le doute, le problème restait en suspens.

Mais la découverte la plus passionnante fut celle du crâne humain trouvé près de Los Angeles, en 1936. Ce fut seulement en 1971, après que cet os eut dormi dans les vitrines d'un musée universitaire, qu'il fut soumis à la datation du carbone. Ce fragment de crâne avait été exhumé par des terrassiers qui creusaient un fossé et finalement la pièce et les os de mammouths découverts à proximité avaient échoué dans les collections de l'université de Californie du Sud. A l'époque de la découverte,

la datation au carbone 14 était inconnue — et, même après son invention, la méthode demandait une telle quantité d'ossements que le crâne aurait été presque entièrement brûlé. Il fallut donc attendre jusqu'à la fin des années 60 pour que l'amélioration de cette technique permît une datation en prélevant sur le crâne une faible quantité de matière osseuse. Cette méthode fut donc appliquée au crâne en 1971. Les résultats indiquent que l'homme de Los Angeles était vieux de 23 600 ans, voire davantage*.

Le problème du crâne de Los Angeles troubla un certain nombre d'experts. Bien que ce fragment de crâne soit le seul fossile humain aussi ancien jamais découvert en Amérique du Nord, son étrange histoire et l'oubli dans lequel on le laissa pendant si longtemps constituent autant de questions restées sans réponse. En raison de ces doutes, la valeur de preuve de ce crâne comme facteur de datation de l'homme américain n'est pas encore unanimement reconnue.

Si le crâne de Los Angeles est effectivement aussi ancien que l'indique l'analyse des protéines, il faut que les hommes aient vécu en Amérique depuis au moins 25 000 ans. Mais cette hypothèse entraîne des conséquences curieuses et complexes, relatives au calendrier de leur migration vers le Nouveau Monde. Par exemple, cela raccourcit la période possible du voyage, puisqu'il existe de fortes raisons de placer dans le temps cette arrivée bien antérieurement à 40 000 ans. En outre, cette période est celle à laquelle est apparu l'homme moderne et tous les fossiles humains découverts dans le Nouveau Monde sont du type moderne. De plus, la migration jusqu'au Nouveau Monde par l'itinéraire arctique a dû faire appel à des talents et des techniques que seuls les hommes modernes possèdent. Les hommes plus primitifs savaient faire le feu, se vêtir de fourrures et construire des cabanes pour s'abriter du froid : la race de Néanderthal employa ces techniques pour survivre durant les premières glaciations dans certains coins de l'Europe. Mais les Néanderthaliens n'ont pu cependant posséder des techniques suffisantes pour survivre aux hivers glacials et prolongés

* Certains auteurs, dont L.S.B. Leakey, ont soutenu que le crâne de Los Angeles datait de 100 000 ans. La science dans son ensemble reste hésitante. (N. d. t.)

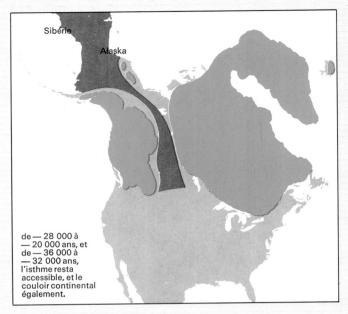

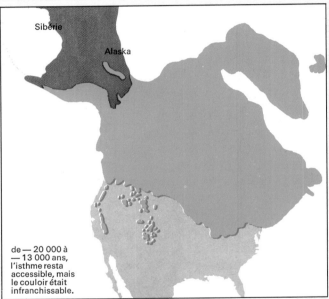

du Grand Nord; il semble du reste que les hommes ne se répandirent pas dans ces habitats rigoureux sur la route de l'Amérique avant que l'homme moderne n'ait remplacé l'homme de Néanderthal.

Mais si les premiers hommes sont arrivés en Amérique entre 40 000 et 25 000 ans, ils ont dû respecter un horaire précis dicté par l'avance et le recul des glaciers du dernier âge de glace. Cela évoque le problème du banlieusard qui doit prendre le bus de 7 h 30 avec correspondance au train de 7 h 45 et finalement sauter dans le bus de 8 h 30 pour arriver à son bureau à 9 h. La première étape du voyage des immigrants préhistoriques dépendit des époques auxquelles l'isthme de Béring était émergé. Au cours des 40 000 dernières années, l'isthme de Béringie ne fut sans doute à découvert et franchissable à pied sec qu'à deux reprises : une première fois entre — 36 000 et — 32 000 ans, et peut-être encore entre — 28 000 et — 13 000 ans. Mais le franchissement de l'isthme ne représentait que la première partie d'un itinéraire compliqué jusqu'à la Californie.

L'assèchement de l'isthme de Béringie résulta de l'accumulation des eaux océaniques en de gigantesques glaciers à l'intérieur des terres. On peut donc dire que la plupart du temps, à l'époque où l'isthme était accessible, la majeure partie de l'Amérique du Nord disparaissait sous les glaces. Les hommes ont pu emprunter l'isthme et atteindre la pointe occidentale de l'Alaska, mais ils n'auraient pu franchir la masse des glaciers pour gagner le reste du continent.

L'itinéraire apparemment le plus facile en direction du sud, qui suivait la côte du Pacifique, resta bloqué jusqu'à une époque relativement récente par les glaces et un relief inaccessible. Le couloir le plus probable qui s'étendait vers le sud depuis l'extrémité de l'isthme, côté Alaska, longeait la côte au nord de la chaîne Brooks ou remontait la vallée du fleuve Yukon. Aucune de ces régions ne fut recouverte par les glaciers au cours de la dernière glaciation et la route était libre par la vallée du fleuve Mackenzie et, plus au sud, le long des pentes est des montagnes Rocheuses jusqu'au Dakota (cartes ci-contre). Cette vallée représentait la ligne de passage entre les grands glaciers s'étendant à l'est des chaînes

de — 28 000 à — 20 000 ans, et de — 36 000 à — 32 000 ans, l'isthme resta accessible, et le couloir continental également.

de — 20 000 à — 13 000 ans, l'isthme resta accessible, mais le couloir était infranchissable.

Ces cartes montrent l'isthme qui relia la Sibérie à l'Alaska à deux périodes au moins au cours de l'âge de glace; d'abord entre — 36 000 et — 32 000 ans, puis entre — 28 000 et — 13 000. A ces époques, la quantité d'eau emprisonnée dans les glaciers était si considérable que le niveau de la mer de Béring baissa et que la terre ferme apparut. Les hommes purent franchir cet isthme à pied sec continuellement durant ces deux périodes, mais ce ne fut que durant la première et le début de la seconde que les immigrants sibériens purent poursuivre leur route vers le cœur du continent américain en empruntant le couloir libre de glace (carte supérieure) qui existait entre les énormes masses des glaciers continentaux. Il y a environ 20 000 ans, l'extension des glaciers devint telle que l'isthme de Béringie s'élargit à son maximum et que le couloir fut bloqué par les glaces (carte inférieure). Ainsi les préhistoriques pouvaient-ils encore atteindre l'Alaska, mais la route du sud leur était fermée et ils durent attendre que le couloir fût libre à nouveau, c'est-à-dire la fin de la dernière période glaciaire, voici environ 13 000 ans.

côtières du Pacifique et ceux qui se déployaient à l'ouest des monts Laurentiens. A cette époque, il existait un couloir libre de glace qui, par endroits, ne dépassait pas une quarantaine de kilomètres de large. Pendant 7 millénaires environ, c'est-à-dire entre — 20 000 et — 13 000 ans, ce passage resta complètement obstrué; un mur de glace haut de 1 500 mètres se dressait sans failles du Pacifique à l'Atlantique, bloquant tout accès du nord vers le sud.

La corrélation chronologique du libre accès de l'isthme et de ce couloir cerna les migrations préhistoriques dans des limites étroites. Comme ils ne restèrent pas bloqués en Alaska lorsque la vallée du Mackenzie fut fermée par les glaces, c'est-à-dire voici 20 000 ans environ, les premiers Américains durent traverser l'isthme de Bérengie soit antérieurement à 32 000 ans lorsqu'il émergea, ou peu après sa seconde mise à sec, c'est-à-dire il y a 28 000 années. Les ancêtres de l'homme de Los Angeles ont pu emprunter cette voie à deux reprises, mais la date la plus ancienne semble la plus probable. Les objets façonnés que l'on pense être des grattoirs et des taillants (choppers) rudimentaires, découverts à Lewisville au Texas et dans d'autres sites dispersés à travers les deux Amériques, ont pu être datés entre — 35 000 et — 25 000 ans. Ainsi, aussi étrange que cela paraisse, certains des premiers êtres humains qui atteignirent notre propre niveau d'évolution ont su braver les rigueurs de l'âge de glace arctique pour émigrer de Sibérie en Alaska et, de là, progresser vers le sud jusqu'au cœur du continent américain, le tout en l'espace de quelques milliers d'années.

Tous les vestiges qui pourraient subsister de la première période de cette migration héroïque gisent maintenant sous les eaux de la mer de Béring ou attendent d'être découverts tant en Sibérie du Nord-Est qu'en Alaska. Car, pour ce qui touche à l'arrivée de l'homme au Nouveau Monde, comme à son développement ultérieur en Amérique, les preuves directes sont rares ou nous font totalement défaut. Cependant, un grand nombre de preuves indirectes tirées de la géologie, de la météorologie, de l'anthropologie et d'autres disciplines qui apportent des éléments concernant d'autres peuples en d'autres temps et lieux, peuvent être rapportées aux ancêtres des Indiens. Cette extrapolation permet de reconstituer d'anciens événements avec une certitude suffisante, de telle sorte que les détails décrits, bien que de nature conjecturale, restent plausibles. Des reconstitutions de ce genre, consistant à décrire des scènes préhistoriques comme si nous en étions les témoins directs, se retrouveront fréquemment dans ce livre afin de traduire au mieux l'opinion de la science moderne sur les premières époques de l'homme américain.

On peut imaginer le premier groupe d'ancêtres des futurs Américains se mettant en route vers le Nouveau Monde : peut-être 30 à 50 individus, pas davantage, établirent-ils leur camp quelque part sur la toundra sibérienne, près des côtes nord de la presqu'île du Kamchatka. D'où venaient leurs ancêtres, ils l'ignoraient; ils savaient seulement que pendant un certain nombre de générations, leurs peuples avaient émigré en direction du nord, suivant les déplacements des troupeaux de mammouths, de caribous, de chevaux, de bisons et d'autres grands herbivores qui se nourrissaient de la végétation de la toundra.

Le fait que cette tribu vécut principalement de la chasse est indéniable; pendant la majeure partie de l'année, il n'existait pour elle à peu près nulle autre solution. Au cours des étés très brefs, lorsque la terre nue se couvrait de bouquets de pavots cornus, et de plantes herbacées, genre saxifrage, ces individus partent à la collecte de nourriture végétale, racines comestibles et autres plantes. Ils ramassent également les œufs des oiseaux migrateurs qui nichent sur le rivage par millions (comme ils continueront de le faire 35 000 ans après); ils trouvent également des coquillages et des moules le long des plages sibériennes et dans les flaques d'eau laissées par la marée. Le poisson est abondant et, durant la saison de migration, ils voient sauter des bandes de saumons. C'est par centaines de milliers que les phoques s'échouent sur le rivage pour reproduire, et les hommes les tuent à coups de bâtons. Mais, pendant quelque huit mois, la toundra est gelée et disparaît sous la neige : toutes les plantes comestibles sont enfouies, la végétation s'arrête, les oiseaux ont fui vers le sud, les

Déchiffrer mot à mot l'histoire des Indiens

Les principales découvertes ainsi que les divers sites préhistoriques associés à l'histoire du premier peuplement de l'Amérique préhistorique figurent sur cette carte. Ces vestiges vont des premiers restes humains fossiles découverts sur le continent, ceux de l'homme de Los Angeles, datés de 21 600 ans avant Jésus-Christ, à la grande métropole indienne de Cahokia, située dans l'Illinois. Celle-ci s'étendait sur plus de 25 km² et

ses quelque 100 tertres de cérémonies évoquent le souvenir d'une population d'au moins 20 000 habitants, vers 1100 de notre ère. Cette carte énumère les découvertes se rapportant au développement des divers styles de vie au cours de nombreux millénaires : la chasse au gros gibier d'abord, puis les civilisations de collecte et enfin les premiers rudiments d'agriculture qui apparurent au nord du Mexique, vers 3000 avant Jésus-Christ.

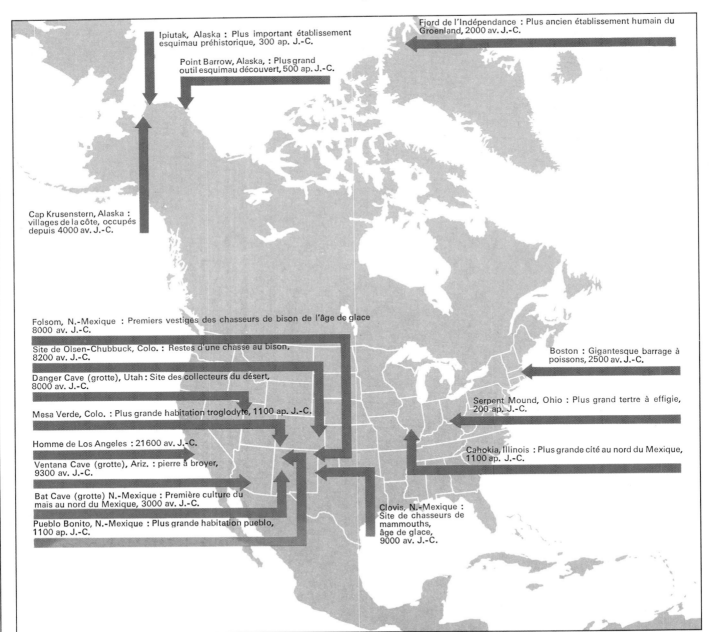

Ipiutak, Alaska : Plus important établissement esquimau préhistorique, 300 ap. J.-C.

Point Barrow, Alaska, : Plus grand outil esquimau découvert, 500 ap. J.-C.

Fjord de l'Indépendance : Plus ancien établissement humain du Groenland, 2000 av. J.-C.

Cap Krusenstern, Alaska : villages de la côte, occupés depuis 4000 av. J.-C.

Folsom, N.-Mexique : Premiers vestiges des chasseurs de bison de l'âge de glace 8000 av. J.-C.

Site de Olsen-Chubbuck, Colo. : Restes d'une chasse au bison, 8200 av. J.-C.

Danger Cave (grotte), Utah : Site des collecteurs du désert, 8000 av. J.-C.

Mesa Verde, Colo. : Plus grande habitation troglodyte, 1100 ap. J.-C.

Homme de Los Angeles : 21600 av. J.-C.

Ventana Cave (grotte), Ariz. : pierre à broyer, 9300 av. J.-C.

Bat Cave (grotte) N.-Mexique : Première culture du maïs au nord du Mexique, 3000 av. J.-C.

Pueblo Bonito, N.-Mexique : Plus grande habitation pueblo, 1100 ap. J.-C.

Boston : Gigantesque barrage à poissons, 2500 av. J.-C.

Serpent Mound, Ohio : Plus grand tertre à effigie, 200 ap. J.-C.

Cahokia, Illinois : Plus grande cité au nord du Mexique, 1100 ap. J.-C.

Clovis, N.-Mexique : Site de chasseurs de mammouths, âge de glace, 9000 av. J.-C.

bancs de coquillages sont hors d'atteinte sous la glace du rivage et tous les ruisseaux sont gelés. Neuf mois sur douze, il faut chasser si l'on ne veut pas mourir de faim.

L'existence reste précaire et difficile, aux confins du monde habité. Mais, à mesure que la tribu s'avance vers le nord, les hommes apprennent comment survivre aux rigueurs de l'Arctique. Hommes, femmes et enfants, tous sont emmitouflés d'un bout de l'année à l'autre dans des vêtements grossièrement taillés dans des peaux de bêtes et, au plus fort de l'hiver, ils coiffent des bonnets de fourrure. Durant l'été, les préhistoriques passent le plus clair de leur temps en plein air, jouissant d'un ensoleillement de presque 24 heures, mais l'automne et ses ombres arrivent vite et la tribu recherche l'abri de ses tentes de peaux ou de cabanes à demi souterraines. Ces habitations sont chauffées par des foyers fumeux alimentés de broussailles ou de bois mort. Lorsque l'hiver est bon, ce qui signifie qu'il succède à une bonne saison de chasse d'automne, les chasseurs peuvent passer presque tout leur temps à l'intérieur; l'air est si froid dehors que la conservation de la nourriture ne pose aucun problème. Mais, si l'hiver les surprend alors qu'ils n'ont pas de réserves de nourriture, ces hommes doivent sortir durant les quelques heures de jour pour chasser les rares pièces de gibier : oiseaux, lièvres arctiques ou renards polaires. Si la saison froide est par trop rigoureuse, certains hommes succombent, les plus âgés et les plus faibles surtout.

La longue migration de la tribu en direction du nord s'est déroulée le long d'une bande relativement étroite qui s'étend entre la mer, à l'est, et les montagnes dont les sommets sont couverts de glace et les vallées encombrées de glaciers. Maintenant, obliquant vers l'est, ces hommes font sans le savoir leurs derniers pas sur le sol de l'Ancien Monde. Devant eux s'étend la Béringie, immense étendue de plaines dénudées coupées de chaînes de collines et parsemées d'innombrables lacs. Presque partout, la terre est gorgée d'eau; par endroits, ce sont des marais couleur brun gris, tapissés de mousse et de lichens. Mais on rencontre également de vastes espaces de terre ferme sur lesquels poussent des herbes et des roseaux courts et drus. Là où le pâturage est assez abondant, les animaux sont nombreux, et certains seraient encore identifiables par un observateur du XXe siècle. Outre des espèces maintenant disparues comme le mammouth et le tigre à dents-de-sabre, les chevaux et les caribous abondent dans la plaine et, aux abords des immenses troupeaux, rôdent les loups, à l'affût de leurs proies.

Durant 10 ou 20 générations, ces hommes se multiplièrent progressivement et se répandirent à travers ce nouveau pays, sans être conscients du fait qu'ils se rapprochaient d'un continent vierge (de toute manière, ils ne connaissaient que des territoires extrêmement peu peuplés) et ils ignoraient aussi qu'ils jouaient le rôle historique de pionniers dans la découverte d'un continent.

De temps à autre, quelque chasseur traquant le caribou ou les chevaux sauvages, dans les collines ondulées de l'arrière-pays, a pu remarquer sur la berge d'un cours d'eau une couche de coquillages semblables à ceux que sa femme avait ramassés sur la plage la semaine précédente. Si cet homme et ses congénères étaient doués d'une certaine curiosité, peut-être se sont-ils interrogés sur l'origine de ces coquilles. Mais il ne leur vint pas à l'esprit que cette terre ferme qui constituait leur terrain de chasse avait été autrefois recouverte par l'océan, qui devait un jour en reprendre possession.

Suivant les migrations du gibier, la bande se dirigeait lentement vers une chaîne de collines lointaines, celles-là même qui, plus tard, formeront la côte ouest de l'Alaska. Encore 10, 20 ou peut-être 50 générations se succéderont avant que ces hommes n'atteignent ces montagnes et ne les franchissent. Sur l'isthme qu'ils laissent derrière eux, les vagues s'avancent toujours plus loin sur le sol, gagnant chaque année, jusqu'à ce que, finalement, toute la Béringie soit inondée par une mer peu profonde et agitée. Désormais, ces hommes sont coupés de leur passé. Devant eux (tout au moins pour un certain nombre), un long et pénible voyage jusqu'au bassin du Mackenzie s'annonce; c'est par ce couloir longeant les glaciers qu'ils atteindront le cœur du continent nord-américain.

Une fois que ces premiers immigrants eurent gagné l'Alaska, combien de temps mirent-ils pour occuper le reste des deux continents américains, nord et sud?

Les trois étapes de l'occupation humaine en Amérique

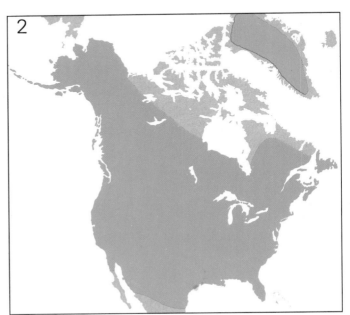

2

4000 av. J.-C.

Les premiers Américains de la préhistoire étaient des chasseurs de gros gibier qui se transformèrent en population vivant de collecte et de cueillette, à mesure que leur effectif augmentait, et que le gros gibier se raréfiait; finalement, ils se consacrèrent à l'agriculture après une succession d'étapes que nous retraçons sur ces cartes. La carte 1 montre l'apogée de la vie des chasseurs vers 9 000 ans avant J.-C., alors que ceux-ci s'étaient répandus dans toutes les régions libres de glace. Vers 4 000 ans avant notre ère *(carte 2)* sur tout le continent, les Indiens comptaient désormais moins sur la chasse au gros gibier que sur la collecte des petits animaux, la pêche et la cueillette des plantes alimentaires. Cette phase de fourragement fut remplacée en quelques endroits par l'agriculture qui atteignit son développement maximal aux alentours de l'an 1000 de notre ère *(carte 3)*. A cette époque, les Esquimaux, arrivés d'Asie à une date relativement récente, s'étaient répandus à travers l'Arctique et avait atteint le Groenland.

Régions sous les glaces à l'époque glaciaire

Chasse au gros gibier

Collecte et cueillette

Agriculture

Chasse en mer des Esquimaux

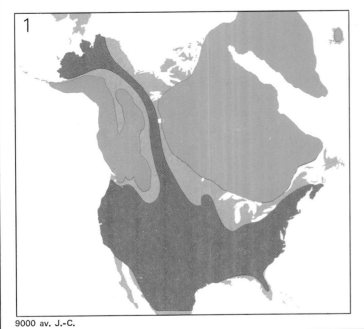

1

9000 av. J.-C.

3

1000 ap. J.-C.

Le peuplement ultérieur des deux Amériques résulte-t-il d'une migration unique et assez rapide ou, au contraire, fut-il précédé de vagues successives d'immigrants au cours d'une longue période? Il fut un temps où la plupart des archéologues soutenaient cette dernière hypothèse. En face de l'extraordinaire diversité des cultures des Indiens d'Amérique, et de la durée d'occupation relativement courte que l'on accordait à l'homme du Nouveau Monde, cette théorie restait plausible : on imaginait mal qu'une telle diversité culturelle eût pu se développer à partir d'un seul groupe de pionniers au cours d'une période ne dépassant pas 5 ou 6 millénaires. C'est en partie dans cette optique que l'homme du Nouveau Monde n'était considéré, au fond, que comme une branche mineure issue de l'homme de l'Ancien Monde. Toute nouveauté culturelle livrée par les fouilles archéologiques américaines conduisait les experts à en rechercher presque automatiquement le prototype dans la préhistoire de l'Ancien Continent.

Aujourd'hui où l'on considère comme possible que les premiers Américains sont arrivés voici au moins 25 000 ans, et peut-être plus de 30 000, le facteur temps n'est plus rédhibitoire. En effet, au cours de 250 siècles, des peuples qui seraient même d'origine commune ont pu, avec le temps, développer des différences physiques et culturelles accentuées. Ainsi, bien qu'il soit possible que les Indiens modernes descendent de vagues d'immigrants successives dont chacune apportait de nouveaux facteurs, on peut également supposer que tout commença à partir d'un nombre relativement faible de premiers arrivants qui surgirent à une époque très ancienne et au cours d'un laps de temps assez bref. Les archéologues ont maintenant recueilli dans les fouilles des preuves abondantes qui démontrent que de nombreux éléments des civilisations indiennes, y compris l'agriculture, et les types de pointes de silex de Clovis et de Folsom ont été produits localement plutôt qu'ils ne furent importés de l'Ancien Monde.

Que le peuplement de l'Amérique résulte d'une ou de plusieurs vagues d'immigration, il s'ensuivit une diversité extraordinaire de cultures. Les anthropologues ont répertorié des milliers de caractères différents, techno-logiques, artistiques ou sociaux, qui se sont mélangés au cours de nombreux millénaires de migrations de mixage et de progrès. Les différences les plus nettes apparaissent dans le langage des Indiens : la langue en effet reste un indicateur précieux des ressemblances et des différences entre les peuples. A l'évidence, on peut dire que des hommes parlant des variantes mineures d'une même langue (telles que l'anglais parlé en Angleterre et l'américain) sont proches parents, alors que d'autres, qui parlent des langages distincts, quoique se ressemblant (le français et l'italien, par exemple) possèdent une parenté plus lointaine; enfin les peuples qui utilisent des langues totalement distinctes (les Chinois comparés aux Allemands, par exemple) n'ont certainement eu aucune histoire commune depuis une période très reculée. On a recensé chez les Indiens d'Amérique du Nord plus de 200 dialectes identifiables et dont certains diffèrent les uns des autres autant que le chinois peut se distinguer de l'allemand. Voilà une preuve que les peuples qui en usent ont suivi une ligne de développement indépendante des autres depuis un certain nombre de millénaires.

Cependant, parmi cette diversité incroyable, on retrouve d'indéniables éléments significatifs d'unité. Ainsi, par exemple, les Zuñis du Sud-Ouest des États-Unis parlaient une langue qui ressemblait peu (ou pas du tout) aux autres dialectes indiens; malgré cela, leur culture traditionnelle rappelait étrangement celle d'autres tribus du Sud-Ouest, lesquelles utilisaient elles-mêmes une douzaine de langages différents. Comme les Zuñis, toutes ces tribus vivaient dans des maisons « de rapport » à plusieurs étages, les pueblos, construites en adobe (briques cuites au soleil). Toutes pratiquaient une agri-culture rudimentaire basée sur le maïs, les haricots et les courges, ou gourdes; tous tissaient des couvertures et fabriquaient de la poterie dont les types ne se diffé-rencient que pour un œil exercé. Trois tribus de ce qui est actuellement la Californie du Nord parlaient des langages aussi différents phonétiquement que le sont l'anglais, le russe et le swahili (langue véhiculaire d'Afrique cen-trale). Cependant, comme le note Robert F. Spencer dans son ouvrage *The Native Americans,* « Un spécia-liste de musée lui-même ne peut faire de différence entre leurs types de paniers et autres ustensiles. »

Cette unité au sein de la diversité provient largement de la dépendance dans laquelle vivaient les Indiens nord-américains vis-à-vis du terrain. Leur capacité à modifier leur environnement restait au mieux limitée. Ne possédant ni bétail, ni ânes, ni chevaux, ignorant l'utilisation des forces du vent ou de l'eau, ces hommes ne disposaient que des seules ressources énergétiques fournies, d'une part, par leurs feux de camps et, d'autre part, par leur propre force corporelle. La capacité qu'a l'Indien de se déplacer avec ses biens restait soumise à la longueur de son pas et à la puissance de son dos à supporter les charges; lorsqu'il s'agissait dans ces migrations de franchir lacs ou rivières ou de longer les côtes, l'homme dépendait des qualités de son canoë et de la force de ses bras pour pagayer. Si le gibier devenait rare ou que ses récoltes rudimentaires étaient ruinées par un gel tardif ou par la sécheresse de l'été, les ressources alimentaires qui existaient trop loin de chez lui restaient inaccessibles; aussi devait-il recourir à la cueillette de graines, de fruits, de noix et de racines qu'il pouvait découvrir à proximité immédiate.

C'est parce que les anciens Indiens restaient si complètement dépendants de la terre sur laquelle ils vivaient que leur vie fut façonnée par le milieu. L'environnement détermine la culture plus que le lieu géographique, l'époque, ou même la tradition. Des tribus ont pu être largement isolées par l'époque, la géographie et le manque de relations génétiques; on y retrouve pourtant des cultures similaires lorsque l'écologie de leur terre natale était identique. Mais, naturellement, cette influence du milieu fut elle-même modifiée par le progrès lent et continu poursuivi par les premiers Américains. A l'origine, ces hommes vivaient essentiellement de la chasse aux grands mammifères : ce fut la « civilisation des chasseurs » des paléo-Indiens. Ensuite, vint une période où une plus grande variété de ressources, aussi bien végétales qu'animales, fut exploitée par l'homme. Ce stade, basé sur le fourragement, cueillette ou collecte, constitue ce que l'on appelle la « période archaïque »; elle marque chez la population américaine de l'époque une exploitation toujours plus intensive et efficace de régions relativement délimitées qui donnèrent naissance aux premiers établissements semi-permanents. Enfin, on distingue une troisième période, dite « formative » (qui comprend le mésolithique, le pré-néolithique et le néolithique). Les rudiments d'agriculture transformèrent les campements des époques précédentes en villages occupés régulièrement ou à longueur d'année; enfin, apparurent les villes comme celle de Cahokia, dans l'Illinois, qui, aux environs de l'an 1 000 de notre ère, abritait une population de plusieurs milliers d'habitants.

Comme ce fut le cas sur tout le globe pour les divers types de cultures, ces trois genres de vies en Amérique du Nord se recoupaient sous l'influence de l'environnement. Les civilisations de cueillette ne succédèrent pas simplement à la civilisation des chasseurs; dans certaines régions, elles coexistaient. L'évolution ne se produisit pas partout : les Indiens des régions nordiques et les Esquimaux restèrent essentiellement des peuples de chasseurs, alors qu'après l'arrivée des Blancs subsistèrent encore des cultures basées sur la collecte. Finalement, même là où les stades de cultures primitives furent dépassés, jamais celles-ci ne disparurent complètement. Ni les collecteurs ni les fermiers ne renoncèrent définitivement à la chasse, pas plus que les agriculteurs ne cessèrent de récolter des plantes sauvages comme complément de leurs propres moissons. Ces trois périodes constitueraient plutôt trois genres de vie complexes qui diffèrent moins par leur nature que par l'importance qu'y représentaient ces diverses activités d'une époque à l'autre.

Ces styles de vie se révélèrent extrêmement efficaces au cours des temps. Après plus de 25 000 ans d'occupation du sol américain, les Indiens laissèrent la terre aussi belle, aussi riche et aussi sauvage que leurs ancêtres l'avaient découverte en arrivant. Ce fut un succès écologique extraordinaire. Pour l'Indien, la forêt primitive, les prairies vierges, le désert brûlé par le soleil se trouvaient toujours à moins de quelques douzaines d'étapes de son campement. Le premier Américain faisait partie de la nature et réciproquement. Il connaissait la richesse, la beauté, la dureté et la menace de sa terre, sens qui aujourd'hui ne subsiste dans l'Amérique moderne que chez un individu sur 10 000 à peine.

L'Amérique fut découverte par hasard

Il est curieux de constater que les premiers humains, venus d'Asie, pénétrèrent en Amérique du Nord en foulant un ancien fond marin qui, à l'époque glaciaire, émergea pour devenir l'isthme de Béringie. Sur ce sol que fertilisèrent les restes de la vie marine animale et végétale, une riche végétation se développa, attirant de nombreux animaux herbivores d'Asie; enfin, les hommes suivirent les migrations des troupeaux.

Les peuples de cette époque que nous connaissons par les découvertes archéologiques faites en Sibérie étaient essentiellement des chasseurs de gros gibier, même s'ils amélioraient leur ordinaire au moyen de plantes et d'oiseaux. En automne, lorsque les troupeaux sauvages cherchaient en Alaska un refuge pour l'hiver, les chasseurs préhistoriques suivaient et c'est ainsi qu'ils devinrent les premiers Américains.

Tournant le dos au soleil arctique, les chasseurs quittent l'Asie en suivant la piste d'un caribou qui les mènera loin à l'est, jusqu'en Amérique du Nord.

Pour dresser son camp, un homme étend une peau de bison sur la charpente d'une maison enterrée, tandis que deux femmes assujettissent les bords à l'aide de caille

Une autre femme fait rôtir la viande cependant qu'une quatrième gratte la peau d'un caribou fraîchement tué.

Maisons démontables pour se déplacer dans la toundra

Au cours de la brève saison d'été, des bandes de chasseurs parcouraient les plaines dénudées de Béringie, à la poursuite du gros gibier. Chaque fois qu'ils atteignaient une région particulièrement prometteuse, où se trouvaient les lieux de rassemblement des caribous, ces hommes agissaient comme leurs ancêtres l'avaient fait jadis en Sibérie : ils creusaient dans le sol des habitations, ou « maisons-puits », ainsi nommées parce qu'elles étaient à demi enterrées pour offrir plus de protection contre le froid et le vent.

Pour construire ces cabanes, les préhistoriques creusaient un trou dans le sol sur quelque 50 cm de profondeur et 2 m de diamètre. Ils recouvraient alors la cavité d'un châssis de bois ou d'os de mammouth. La première couche du toit était faite de fourrures et de peaux étendues sur le cadre, liées avec des courroies et dont la partie inférieure était fixée avec des pierres, de la terre et des mottes de gazon qui servaient à couper le vent. Le sol de la cabane était entièrement recouvert de fourrure, à l'exception du centre où se trouvait le foyer. Mais les innombrables essaims de moustiques qui se multipliaient à l'époque sur les milliers de lacs et d'étangs de la Béringie ne laissaient aucun répit aux habitants, et ces chasseurs devaient garder jour et nuit leurs vêtements de peaux, sous peine d'être dévorés vivants par les insectes.

Ce genre d'habitation se démontait facilement; les divers éléments étaient roulés dans des peaux et des fourrures pour être transportés jusqu'au prochain lieu de campement. Seule l'approche de l'hiver interrompait cette vie nomade. Alors les chasseurs recherchaient quelque site protégé, ils y accumulaient des quantités de viande et se préparaient à hiverner dans le froid rigoureux.

Dans la clarté scintillante de l'aurore boréale, se découpe la silhouette des chasseurs qui rapportent aux maisons enterrées, éclairées par les feux, le gibier de la jour

un d'eux porte la carcasse d'une antilope saïga ; l'autre porte des francolins pendus à un bâton. Un jeune garçon apprend l'art de la chasse en accompagnant les adultes.

Le caribou, aliment de base pour les habitants de la Béringie

Après l'interminable obscurité de l'hiver passé en Béringie, où les températures restaient bien en dessous de zéro pendant des semaines consécutives, tandis qu'un vent glacial soufflait du Nord sans relâche, les chasseurs affamés accueillaient avec soulagement le retour des caribous qui regagnaient les pâturages de printemps pour mettre bas. En longues colonnes ondulées, ces troupeaux immigrants revenaient de leurs habitats d'hiver situés dans les montagnes de l'Alaska et de la Sibérie, où ils retournaient régulièrement, année après année, suivant un schéma immuable.

Davantage peut-être que tout autre animal, le caribou représentait pour les Béringiens un facteur essentiel de survie. Les bêtes se chiffraient par centaines de milliers et elles procuraient à l'homme toute une gamme de ressources : une chair et une graisse délicieuses comme nourriture, des peaux pour les vêtements, des boyaux pour faire les cordes, des os et des bois à partir desquels les chasseurs fabriquaient tout, depuis le grattoir jusqu'à l'aiguille.

La fourrure d'hiver que l'homme se procurait sur le caribou au retour des troupeaux était spécialement précieuse : ce poil doux, chaud et épais permettait la fabrication de vêtements confortables. Les préhistoriques, d'ailleurs, ignoraient pourquoi la peau de caribou était si chaude : c'est parce que les poils de cet animal, à la différence d'autres espèces, contiennent de microscopiques cavités qui empêchent la perte de chaleur et font de la fourrure du caribou l'un des meilleurs isolants naturels.

Les chasseurs déguisés en caribous préparent une attaque contre un troupeau d'herbivores en migration qui se dі

les terrains de reproduction. Les hommes, avançant sous le vent, pourront approcher du troupeau à l'improviste et tuer plusieurs animaux avant que le reste ne s'échappe.

Une gamme étonnante de petit gibier

Un francolin, dans son plumage d'été, est posé camouflé dans son nid sur le sol, tandis que des hommes, sans remarquer la présence de l'oiseau, ramassent des grain

Arrivant sur une rookerie d'otaries de Steller (lions de mer), les chasseurs attaquent deux jeunes qu'ils ont séparés de leur mère.

La Béringie offrait aux bandes d'hommes qui l'habitaient une vaste gamme de nourriture; sur ses rivages, vivaient les otaries, les phoques, les morses, les poissons et coquillages et une riche faune d'oiseaux aquatiques dont les hommes devaient, au printemps, apprécier les œufs après un long régime carné. Dans les zones de l'intérieur, le menu de base comprenait du caribou, du bison, du cheval sauvage et du mammouth, agrémentés en été de racines, d'herbes et de baies.

Un gibier disponible tout au long de l'année, tel était le lagopède, ou perdrix des neiges, oiseau gras qui vit encore en Alaska et dont le plumage change de teinte suivant les saisons : en été, il est un mélange de roux, de brun et d'ocre *(à gauche)*, tandis qu'en hiver ses plumes sont blanches. En dépit de ce camouflage naturel, le lagopède est facilement repérable. Confiant dans les effets de son mimétisme, cet oiseau reste assis sur son nid jusqu'à ce que les prédateurs arrivent; il se pavane alors pour attirer l'ennemi loin de ses œufs et de ses petits. Les Béringiens, connaissant ces mœurs, savaient trouver les nids, s'emparer des œufs, ou encore tuer l'oiseau.

Premiers pas
sur une terre vierge

Nous ne saurons sans doute jamais quand exactement les chasseurs de Béringie foulèrent pour la première fois le sol de l'Amérique du Nord. Cependant, il dut y avoir un jour où une petite bande comme celle-ci, dont les membres, partis à la recherche du gibier, devinrent sans qu'ils le sussent jamais les premiers hommes à découvrir l'Amérique.

Ce fut l'obligation dans laquelle se trouvèrent ces gens de suivre les migrations animales qui les conduisit jusqu'au Nouveau Monde. Le caribou, le bison et le cheval ne pouvaient supporter l'hiver en Béringie, d'abord en raison du froid rigoureux, mais surtout parce que la glace et la neige recouvraient presque tous les pâturages. C'est pourquoi, en automne, les grands troupeaux émigraient soit à l'est, soit à l'ouest, vers les vallées abritées et les zones de forêts de Sibérie et d'Alaska, où ils restaient pâturer jusqu'au printemps.

Les hommes les suivirent. Quelques bandes ont dû quitter les plaines de Béringie et se heurter à la barrière naturelle des monts Brooks en Alaska *(à droite)*. Les traces et les pistes laissées par d'innombrables troupeaux indiquèrent à l'homme les passages menant aux vallées abritées, le long desquelles les chasseurs s'enfoncèrent toujours plus avant au cœur de ce continent vierge.

Aux confins de l'Amérique du Nord, une petite bande de chasseurs observe les chaînes de l'Alaska bleutées sous l

ble lumière de l'été finissant. Les hommes hiverneront dans les vallées et, dès l'arrivée du printemps, reprendront la route vers de nouveaux terrains de chasse.

Chapitre deux : Chasseurs de gros gibier

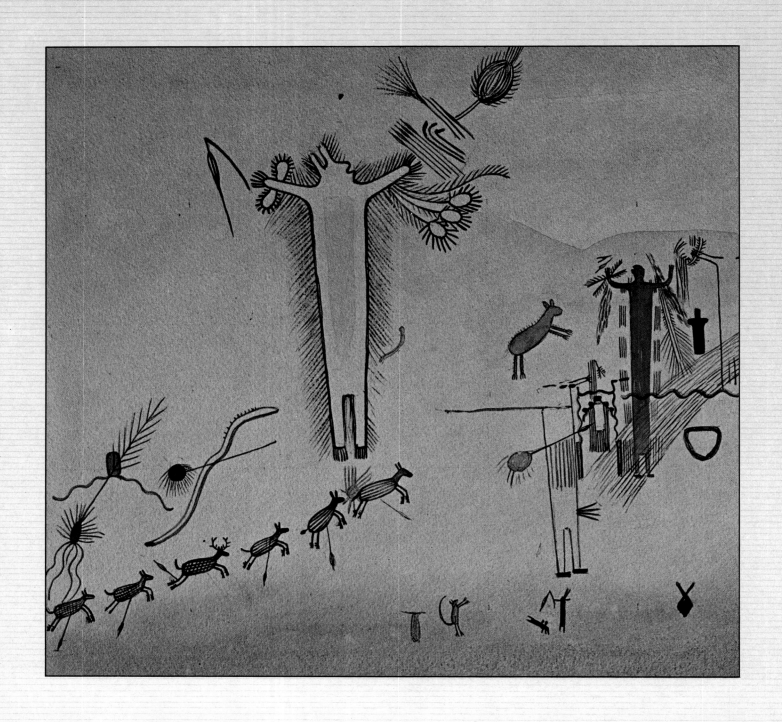

Reportons-nous à quelque 40 000 ans dans le passé : le cœur du continent américain n'a pas encore reçu l'empreinte du pied humain et nulle voix d'homme ne s'y est fait entendre. Le pays est beau et riche, une immense plaine ondulée de terre vierge s'étend à l'infini, des montagnes Rocheuses au Mississippi et du Canada au Mexique actuel. Il y règne un climat humide et froid, parce qu'au nord une énorme masse de glace couvre la plus grande partie des terres sur une épaisseur d'un kilomètre et demi. De ces glaciers souffle un vent qui, non seulement refroidit l'air, mais transporte jusqu'à la plaine une humidité suffisante pour entretenir une riche couverture de végétation dans des régions qui, un jour, deviendront semi-arides ou désertiques.

Dans les plaines du Nord, entre les futurs États du Wyoming et du Iowa, les terres les plus basses et les plus humides sont couvertes de pins, d'épicéas et de mélèzes; sur les plateaux et les hautes terres, excepté les rivages des lacs et les vallées des rivières, le paysage est un parc ouvert, à la végétation herbeuse. Plus loin vers le sud, des plaines sans fin s'étendent sur des centaines et des centaines de kilomètres à l'ouest du Mississippi et forment une large ceinture dans laquelle alternent les zones boisées de feuillus, bouleaux et aulnes, mélangés avec des conifères, et ailleurs de grasses prairies herbeuses parsemées de lacs et d'étangs. Au-delà de cette ceinture, des plaines ondulées aux longues herbes s'intercalent avec les forêts des vallées sinueuses où coulent des rivières jusqu'au pied des montagnes Rocheuses. Sur l'autre versant de cette chaîne, ce qui sera plus tard le Nevada reste submergé sous une énorme masse d'eau, le lac Bonneville, aussi large que plusieurs des Grands Lacs actuels (le Grand Lac Salé est un vestige très diminué du lac Bonneville). La vallée de la Mort elle-même (Death Valley), aujourd'hui

Décrits ici sous un aspect fantomatique, les chamans indiens invoquent les esprits de la chasse; cette fresque se trouve dans une caverne de la rivière Pecos au Texas, et est vieille de 1 000 ans. Le personnage principal, drapé dans des sacs d'équipement de chasse, fabriqués en grandes feuilles de figuier de Barbarie, tient des flèches ou des javelots, d'une main, et un atlatl, ou propulseur, de l'autre. Les cerfs, dont quelques-uns sont blessés, détalent au fond du paysage, droit en direction des autres chamans armés.

désert torride de Californie, retient une nappe considérable d'eau fraîche.

Les plaines verdoyantes constituent un gigantesque parc zoologique où abondent certains des animaux les plus remarquables qui aient jamais vécu sur ce continent. Dans les régions basses et bien arrosées des plaines du Nord, vit l'élan géant *Cervalces*, dont les bois se dressent à près de 2,50 mètres; il broute le long des rivages marécageux des lacs. Dans les cours d'eau, se nourrissant de plantes aquatiques, nagent les castoroïdes, castors géants atteignant la taille d'un ours moderne, et doués d'incisives coupantes d'une vingtaine de centimètres de long. Sur les lisières forestières, on rencontre des paresseux géants, dont la tête, ridiculement petite, surmonte un corps aussi massif que celui de l'éléphant; dressé sur ses postérieurs, il broute le feuillage des arbres à quelque 7 mètres au-dessus du sol, et il atteint les branches encore plus hautes en étendant ses longues griffes recourbées. Dans les paysages plus ouverts, galopent d'immenses troupeaux de bisons à longues cornes, de caribous, de bœufs musqués et d'une espèce de bœufs nains fossiles qui ne dépassent guère la taille du mouflon des Rocheuses. Dominant toute cette faune, y compris les gigantesques paresseux, voici les impressionnants mammouths. La plus grande espèce est le mammouth impérial qui atteint 4,50 mètres de haut au garrot (ce qui lui permettrait de jeter un regard indiscret dans votre appartement au second étage). Ce monstre est doté d'une paire de défenses recourbées vers le bas, qui mesurent au moins le double de celles de l'éléphant du XXe siècle. A peine plus petit, citons encore le mammouth laineux, dont la masse déjà formidable est encore grossie par une fourrure hirsute et rèche de poils rougeâtres.

Plus au sud, dans les zones où alternent les bois et la prairie, la vie animale est encore plus riche. Là, en compagnie des troupeaux de mammouths, vivent leurs cousins plus solitaires et amateurs de feuilles d'arbres, les mastodontes : la taille de ces créatures rivalise avec celle du mammouth laineux dont elles possèdent également le poil rougeâtre et hirsute. Quant au superbison, ses cornes, qui évoquent la défense de l'éléphant, sont écartées de près de 2 mètres de pointe à pointe. Des chameaux, des pécaris, ainsi que des lapins de garenne et autres petits animaux existent en troupes innombrables; enfin, durant la saison, les étangs de la prairie se recouvrent d'un tapis vivant fait d'une multitude d'espèces d'oiseaux aquatiques.

Vivant aux dépens de tous ces herbivores, grands ou petits, rôde une gamme terrifiante de carnivores. Le cuon, énorme chien-loup fossile (une fois et demie la taille de son descendant, le loup gris) est armé de mâchoires puissantes qui broient les os sans effort. Le tigre à dents-de-sabre, à la courte queue, enserre sa victime dans ses antérieurs massifs et la transperce de ses canines supérieures longues de 20 centimètres. Enfin, une panthère plus grande que le plus gigantesque lion jamais connu se classe comme l'un des plus formidables prédateurs terrestres de n'importe quelle époque.

Visiblement, il manque à cette collection le prédateur le plus efficace de tous, l'homme.

Loin dans le nord, au-delà de la muraille de glace dressée par les glaciers, vivent les hommes. A cette époque, voici quelque 35 à 40 000 ans, ils ont atteint l'Alaska, venant d'Asie; ils ont franchi l'isthme de terre ferme intercontinental qui a émergé au fur et à mesure que l'eau du globe s'emprisonnait dans les glaciers, abaissant d'autant le niveau des mers. C'est la poursuite du gibier qui a entraîné ces hommes en direction du Nouveau Monde car ce sont avant tout des chasseurs. Ce mode de vie leur est obligatoire car, que ce soit dans leur pays ancestral de Sibérie que dans l'Alaska, la chasse représente pour eux le seul moyen de survivre. Le climat est alors trop rigoureux pour permettre un approvisionnement en plantes comestibles tout au long de l'année, tandis que les réserves de viande vivante sont inépuisables.

Si les hommes ont atteint l'Amérique subarctique pour la première fois en poursuivant le gibier, il semble probable que ce fut l'espoir de nouveaux terrains de chasse qui incita les premiers Américains à se diriger vers les grandes plaines.

Chaque automne, alors qu'ils se serrent les uns contre les autres sur la toundra enneigée à proximité du cercle polaire, ces hommes voient le soleil baisser de plus en plus à l'horizon. Ils assistent à la diminution de la longueur du jour jusqu'à ce que, pendant la plus grande partie de la journée, l'unique éclairage extérieur soit le scintillement des étoiles polaires, la pâle luminescence des aurores boréales et la froide clarté de la lune. A mesure que le jour raccourcit, on peut voir des vols de cygnes, de canards et d'oies sauvages, de courlis, de pluviers, de chevaliers et de bécasseaux, qui fuient en direction du sud après avoir quitté leur terrain de nidification. Après les oiseaux, c'est le tour des chevaux, des bisons, des caribous, des mammouths, qui se hâtent vers le sud. Cependant, la neige tombe de plus en plus drue, et le petit gibier lui-même se fait rare. Dans de telles conditions, l'homme n'a pas à faire un grand effort d'imagination pour déduire qu'il trouvera davantage de gibier en suivant le soleil dans sa course, imitant en cela les oiseaux et les troupeaux sauvages.

Au cours de cette migration en direction du sud, ces troupeaux et les hommes qui dépendent d'eux doivent contourner les formidables glaciers qui barrent l'Alaska d'un mur presque continu. Certains d'entre eux suivent la côte arctique au nord des monts Brooks, tandis que les autres empruntent l'itinéraire difficile de la vallée du Yukon. Ce sont les deux routes possibles pour accéder à la vallée du fleuve Mackenzie. Cette trouée n'est pas encore entièrement glacée et, durant quelques millénaires, les petites bandes d'immigrants défileront l'une après l'autre entre ces pentes calcaires couvertes d'herbe et d'arbres rabougris. A mesure que nos voyageurs approchent de la région où s'élèvera plus tard la ville d'Alberta, ils peuvent contempler à faible distance les glaciers, où la vie n'existe pas, et le couloir libre se réduit sous leur avance à peut-être une quarantaine de kilomètres seulement. Mais, à quelques centaines de kilomètres au sud-est, les glaciers reculent à nouveau et, devant les nouveaux arrivants, s'étend apparemment sans fin la plaine immense, cette terre au ciel démesuré qui ne manque jamais de stupéfier et d'émerveiller le voyageur qui la contemple pour la première fois.

De ces premiers pionniers de l'Ouest américain ne nous sont parvenus que de rares vestiges : des pierres qui semblent avoir été utilisées par l'homme comme outils et qui ont été découvertes au Nouveau-Mexique et au Texas, par exemple, et le crâne de l'homme de Los Angeles, daté de 23 600 ans, démontrent que les hommes se sont répandus dans le Sud en venant de l'Alaska. Mais ces témoignages nous apprennent peu de choses sur la manière dont ils vivaient à une époque aussi lointaine.

Qu'il s'agisse des méthodes de chasse ou de la plupart de leurs habitudes de vie, les premiers Américains n'avaient que peu de raisons de modifier les coutumes léguées par leurs ancêtres nordiques. Mais, d'un certain côté, leur nouvel habitat de plaine différait radicalement des territoires sub-polaires ancestraux, et cette différence ne manqua pas de transformer leur style de vie. Alors que le Nord était presque entièrement dépourvu de plantes comestibles, les plaines, au contraire, renfermaient une riche végétation. Sans doute dut-il exister des périodes, lorsque le gibier eut appris à craindre l'homme, où les ressources alimentaires des hommes préhistoriques se faisaient rares; peut-être la simple curiosité alimentaire incita-t-elle les chasseurs à essayer d'autres régimes. A cette époque, les ressources végétales de la plaine — racines comestibles, noix, baies et fruits sauvages — constituèrent certainement un appoint appréciable. L'homme put consommer des racines de navets indiens, riches en fécule, des carvis et, dans les régions marécageuses, des sagittaires. Il pouvait également, en creusant dans les terriers des campagnols, s'emparer de fèves sauvages accumulées par ces rongeurs. En cas de disette sérieuse, son régime pouvait se composer de racines de volubilis, lesquelles n'étaient pas d'un goût excellent, mais volumineuses et nutritives. Pour le dessert, la nature livrait en abondance des groseilles, des groseilles à maquereau, des sorbes, des airelles, tandis que dans les régions situées plus au sud on trouvait des arbousiers, des amélanchiers, des pruniers sauvages, des noisetiers, des plaqueminiers, et des noyers noirs ou des hickorys qui fournissaient à profusion fruits ou noix.

Au sein d'une telle abondance, les Américains primitifs prospérèrent et se répandirent à travers le continent. Nous possédons des preuves (principalement des outils de pierre grossiers dont l'usage est encore mal défini) qui attestent leur présence de la Californie au Colorado, dans l'Orégon et dans l'Arizona. Même en Amérique du Sud, on a découvert des pierres taillées qui datent peut-être de 20 000 ans. Une telle migration en direction du sud suppose que les hommes primitifs ont séjourné longtemps dans les forêts épaisses qui recouvrent le centre des États-Unis. Il est possible que des altérations climatiques provoquées par l'avance des glaciers provenant du nord aient réduit l'étendue de ces jungles mais, même dans ce cas, le voyage a certainement nécessité une ingéniosité considérable de la part de ces hommes qui durent s'adapter à des terrains radicalement différents, où la faune et la flore étaient également nouvelles. On peut même supposer que certains groupes d'hommes des plaines à l'humeur particulièrement aventureuse ont atteint les rivages forestiers de l'Atlantique.

Mais, en dépit de tous ces succès apparents, les premiers Américains restent des personnages flous. La première preuve indiscutable mais encore relativement rare nous vient d'une époque qui se situe près de 1 000 générations après l'arrivée de l'homme, à 11 000 ou 12 000 ans de nous. Elle concerne la vie des anciens Indiens. Le décor est toujours la plaine et plus spécialement ces régions qui s'étendent de l'Est du Nouveau-Mexique au Texas occidental et que les premiers explorateurs espagnols appelaient « Llano estacado », ou plaine jalonnée*. Les glaciers avaient atteint auparavant leur extension maximale et reculaient depuis déjà plusieurs millénaires. Cependant, le climat reste à peu près le même que celui du temps des premiers Américains, c'est-à-dire froid et assez humide. Le Llano estacado, qui est devenu une région semi-aride, était alors couvert d'une herbe verte et parsemé d'arbres; on y trouvait des étangs de faible surface et des rivières coulant dans des vallées boisées. La faune reste toujours abondante et très diversifiée.

Là différence la plus marquante réside dans la présence de chasseurs. Il s'agit de peuplades connues pour leurs

---

* Ainsi appelé parce que les Espagnols avaient balisé ces régions alors désertes au moyen de poteaux qui indiquaient aux voyageurs la direction des pistes et des points d'eau (N. du t.).

La faune américaine: Quels animaux rencontraient les préhistoriques ?

Lorsque l'homme préhistorique pénétra en Amérique du Nord, voici quelque 25 000 ans, il découvrit un continent qui regorgeait de gibier — constitué, le plus souvent, d'immigrants comme lui. Le tableau ci-dessous énumère 57 des plus importants mammifères que les premiers Américains rencontrèrent.

A gauche, on trouve les êtres vivants, hommes compris, qui arrivèrent d'Asie en Amérique du Nord en suivant l'isthme de Béring qui émergea, en reliant les deux continents, à diverses reprises au cours de 8 millions d'années. A droite, figurent les espèces qui remontèrent d'Amérique du Sud et, dans la colonne centrale, on voit les animaux dont l'évolution s'est déroulée en Amérique du Nord. Les flèches indiquent les directions que suivirent les animaux dans leurs migrations en direction (ou en provenance) de l'Amérique du Nord. Certains,

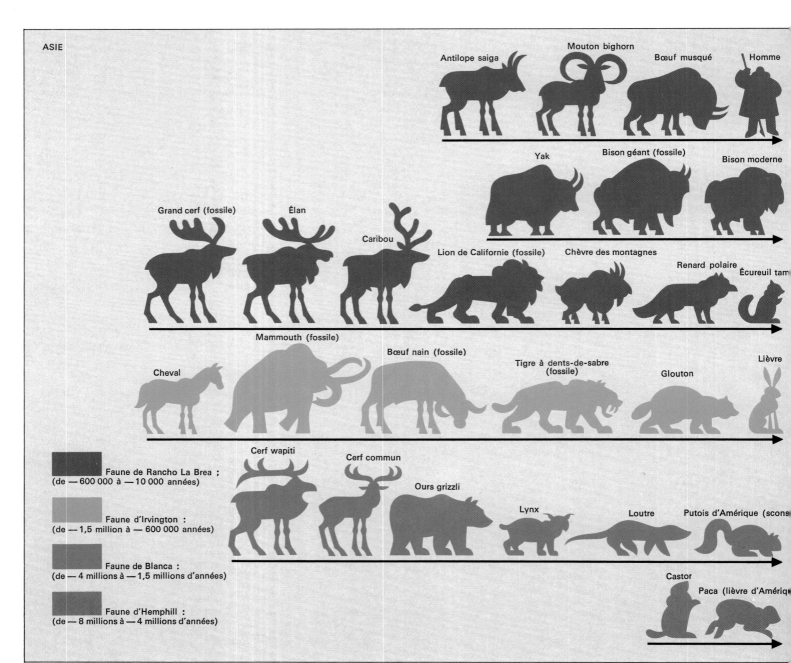

ASIE

Antilope saiga · Mouton bighorn · Bœuf musqué · Homme

Yak · Bison géant (fossile) · Bison moderne

Grand cerf (fossile) · Élan · Caribou · Lion de Californie (fossile) · Chèvre des montagnes · Renard polaire · Écureuil tam

Mammouth (fossile) · Cheval · Bœuf nain (fossile) · Tigre à dents-de-sabre (fossile) · Glouton · Lièvre

Cerf wapiti · Cerf commun · Ours grizzli · Lynx · Loutre · Putois d'Amérique (scons

Castor · Paca (lièvre d'Amériqu

Faune de Rancho La Brea :
(de — 600 000 à — 10 000 années)

Faune d'Irvington :
(de — 1,5 million à — 600 000 années)

Faune de Blanca :
(de — 4 millions à — 1,5 millions d'années)

Faune d'Hemphill :
(de — 8 millions à — 4 millions d'années)

comme le mammouth et le bison, arrivèrent d'Asie, tandis que d'autres, tels que le loup et le renard, sont originaires du Nouveau Monde, d'où ils gagnèrent ultérieurement l'Asie.

Les couleurs vives indiquent la période au cours de laquelle chaque animal commença sa migration. Ces époques sont reliées ci-dessous aux diverses faunes de mammifères nord-américains — Hemphill, Blanca, Irvington et Rancho La Brea — suivant le système de datation adopté d'après les noms des sites fossiles. Ainsi, par exemple, on voit qu'entre — 1 500 000 et — 600 000 ans, c'est-à-dire à l'époque de la faune d'Irvington, le cheval moderne émigra en Amérique du Nord venant d'Asie, puis l'espèce disparut.

Elle devait être réintroduite par les Espagnols à l'époque de la découverte de l'Amérique. Les animaux qui ont évolué en Amérique du Nord et qui ne s'en sont jamais éloignés sont teintés en gris; leur position indique le type de faune parmi laquelle ils évoluèrent jusqu'à la forme représentée ici. L'antilope pronghorn, qui appartient à la faune de Rancho La Brea (datée entre — 600 000 et — 10 000 ans), est située sur la liste entre des animaux qui sont coloriés en rouge pour traduire le fait qu'ils ont émigré durant cette période.

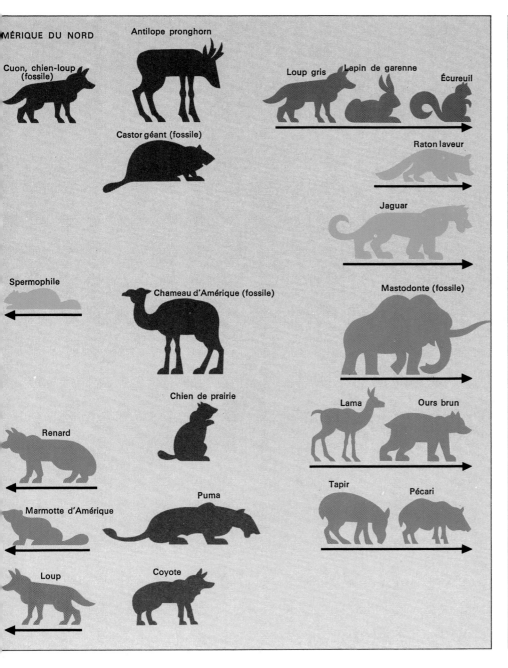

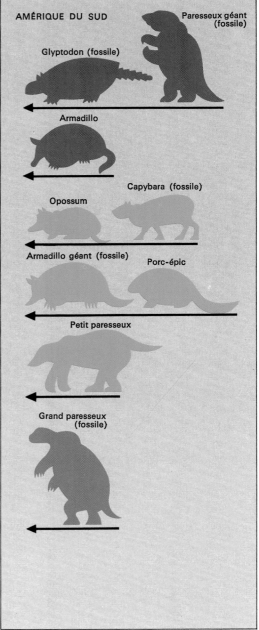

pointes de silex, dites pointes flûtées, de facture très élaborée. Ce sont des pointes de javelot, ou « de jet », dites de Clovis *(page 42)*. Ces chasseurs erraient presque constamment à travers la plaine; leurs bandes, généralement familiales, se déplaçaient d'un camp temporaire à un autre, suivant les migrations du gibier. Dans les régions où la faune abondait particulièrement et où la chasse était toujours profitable, quelques-uns de ces sites furent occupés en commun par plusieurs bandes et formèrent des bases plus ou moins permanentes. Mais, même les établissements les plus importants ne consistèrent jamais qu'en pare-vent grossiers faits de broussailles ou d'herbe.

Quelque ressemblant qu'ait été leur mode de vie comparé à celui de leurs ancêtres, ces hommes de la plaine possédaient un avantage d'une extrême importance : les pointes de jet en pierre acérée qui caractérisent cette civilisation. Les pointes de Clovis, finement travaillées, constituaient des armes mortelles, et ces peuplades savaient s'en servir si efficacement qu'elles tuaient par ce moyen les grands mammouths laineux.

Les archéologues ont trouvé à maintes reprises des pointes de Clovis encore fichées entre les ossements de mammouths tués par ces chasseurs. Généralement, ces pointes font de 10 à 15 centimètres de long et leur symétrie est presque parfaite. Leur forme rappelle la partie supérieure d'une baïonnette et l'extrémité s'amincit en pointe aiguë. Les deux faces sont soigneusement amincies pour accroître la force de pénétration, mais les deux arêtes tranchantes sont délibérément émoussées près de la base pour éviter que les lanières qui les fixent à la hampe ne soient coupées. Peut-être pour assurer une meilleure fixation de ces pointes sur le manche, des bases concaves ont-elles été amincies en détachant soigneusement des éclats sur les deux faces, ce qui produit des becs de flûtes se prolongeant jusqu'au tiers, voire la moitié de la longueur de la pointe.

Ces pointes sont généralement considérées comme des pointes de jet, mais le fait de savoir si les outils dont elles formaient l'extrémité coupante étaient vraiment des projectiles reste du domaine des hypothèses. Il est certain que ces pierres sont des pointes de lances d'un certain type (elles sont trop volumineuses pour être des pointes de flèches et nous savons que l'arc et la flèche étaient inconnus des chasseurs de Clovis). Cependant, nous ne possédons aucune preuve directe qui nous révèle si ces lances étaient utilisées comme armes à main ou s'il s'agissait d'armes de jet, javelots ou sagaies. Bien que cela semble extraordinaire, les plus grands mammouths ont pu être vaincus par ces hommes à pied, armés de lances. Jusqu'à une époque très récente, c'est de cette manière que les tribus africaines chassaient l'éléphant. Exactement comme ces chasseurs modernes de pachydermes, les primitifs américains ont pu, pour s'attaquer aux mammouths, se scinder en deux groupes, les uns détournant l'attention de l'animal, tandis que les autres se glissaient audacieusement sous le monstre pour le frapper au ventre et aux pattes à bout portant.

Mais de nombreux experts pensent que les hommes de Clovis ont évité des contacts aussi dangereux avec leur gibier en lançant leurs javelots à distance. Pour y parvenir avec une efficacité satisfaisante, ils utilisèrent un accessoire simple mais révolutionnaire, le propulseur, ou atlatl, lequel permet à un chasseur de lancer son javelot d'une distance respectable mais avec une force suffisante pour que la pointe perce le cuir épais du mammouth. L'atlatl est un bâton solide ou un morceau d'os long mesurant environ 70 centimètres, et dont une extrémité comporte une encoche en forme de crochet tourné vers l'avant. L'homme emboîte la base du javelot, présentée parallèlement au propulseur, dans l'encoche; il saisit alors dans la main droite l'autre extrémité du propulseur et, tendant le bras, il utilise celui-ci comme une rallonge qui permet de lancer le trait à une vitesse accrue, à plus grande distance et avec une plus grande force de pénétration. L'avantage de l'atlatl vient du fait qu'il prolonge la longueur du bras de l'homme. En tendant le bras en arrière, la longueur du propulseur qui maintient la lance accroît la longueur de l'arc que parcourt le javelot au lancement, ce qui en accélère la vitesse. Ce mouvement est semblable à celui du lanceur de grenades moderne ou du joueur de ballon qui, pour effectuer un lancer à une distance maximale, se courbe en arrière, tenant à bout de

Le propulseur, arme mortelle de lancer

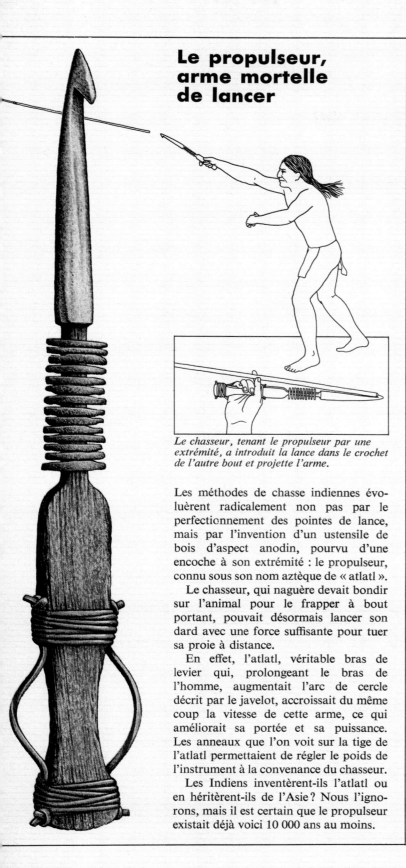

Le chasseur, tenant le propulseur par une extrémité, a introduit la lance dans le crochet de l'autre bout et projette l'arme.

Les méthodes de chasse indiennes évoluèrent radicalement non pas par le perfectionnement des pointes de lance, mais par l'invention d'un ustensile de bois d'aspect anodin, pourvu d'une encoche à son extrémité : le propulseur, connu sous son nom aztèque de « atlatl ».

Le chasseur, qui naguère devait bondir sur l'animal pour le frapper à bout portant, pouvait désormais lancer son dard avec une force suffisante pour tuer sa proie à distance.

En effet, l'atlatl, véritable bras de levier qui, prolongeant le bras de l'homme, augmentait l'arc de cercle décrit par le javelot, accroissait du même coup la vitesse de cette arme, ce qui améliorait sa portée et sa puissance. Les anneaux que l'on voit sur la tige de l'atlatl permettaient de régler le poids de l'instrument à la convenance du chasseur.

Les Indiens inventèrent-ils l'atlatl ou en héritèrent-ils de l'Asie ? Nous l'ignorons, mais il est certain que le propulseur existait déjà voici 10 000 ans au moins.

bras la balle ou le projectile.

Nous ne sommes pas certains que ces premiers Américains possédaient des propulseurs, mais des preuves archéologiques suggèrent que les hommes de Clovis avaient découvert des moyens de réduire les risques de la chasse au mammouth. Tout d'abord, la quasi-totalité de tous les sites de chasse connus sont situés dans des régions où la nature du sol indique la présence d'anciens cours d'eau ou étangs. Les chasseurs ont dû s'embusquer à l'endroit stratégique, certains de voir venir les animaux à l'abreuvoir. Un éléphant actuel boit quelque 200 litres d'eau par jour, un mammouth devait en consommer bien davantage.

Dans de nombreux cas, cependant, nous pouvons déduire des preuves recueillies que les chasseurs préhistoriques américains attaquaient les animaux qui s'étaient enlisés sur les bords marécageux d'un lac. Sur l'un des sites de chasse de Clovis, les découvertes rappellent étrangement celles que nous ont fournies les sites de Torralba en Espagne où, quelque 300 000 ans plus tôt, *Homo erectus* chassait l'éléphant en utilisant efficacement la même technique. A Torralba, l'un des éléphants fossiles à défenses droites, qui fut tué dans un marais, était tombé sur le flanc. Le côté accessible avait été découpé par les chasseurs qui avaient emporté la viande; la partie inférieure du squelette reposant dans la vase fut découverte à peu près intacte. Sur un site de Clovis, ce sont les pattes d'un mammouth qui furent retrouvées telles quelles, droites, dans la position où elles supportaient la bête lorsque celle-ci s'enlisa; tout le reste du squelette était éparpillé d'une manière qui révélait que les chasseurs avaient commencé leur dépeçage à partir du sommet du dos, et qu'ils s'étaient arrêtés en abandonnant les pattes, trop difficiles à atteindre.

Ces preuves tangibles nous facilitent la reconstitution d'une scène telle qu'elle dut se dérouler il y a 11 000 ans : voici un mammouth emprisonné dans le vase du bord d'un lac et entouré par une douzaine de chasseurs de Clovis en train de hurler. L'énorme bête, dont la masse domine ses assaillants, pousse des barrissements de rage et balaye l'air de sa trompe et de ses défenses, qui atteignent 2,50 mètres. Deux chasseurs particulièrement

La panoplie des armes indiennes

Le tableau à droite montre l'évolution des armes indiennes au cours de 12 000 années, en partie pour répondre à l'amélioration des techniques de chasse. Les deux premiers javelots sont équipés de pointes dites de Clovis et de Folsom, cette appellation correspondant au site où ce type d'armes fut découvert. Les pointes présentées ici datent de l'époque des chasseurs de gros gibier. En ce temps-là, les chasseurs devaient affronter à courte distance les grands mammifères terrestres et les frapper directement à coups de lances; les côtés lisses de la pointe permettaient aux chasseurs de retirer l'arme du corps de l'animal pour frapper à nouveau.

A mesure que les populations augmentaient, des variantes régionales apparurent. Dans les grandes plaines, les chasseurs utilisèrent des pointes fines Éden, ou des pointes à angle aigu du type Dalton. Dans la région des Grands Lacs, ces armes étaient fabriquées en cuivre naturel plutôt qu'en pierre et mises en forme par martèlement. Partout ailleurs, les Indiens utilisèrent des roches disponibles comme le schiste pour produire des pointes polies et non plus taillées par éclats et par percussion; les pointes polies qui sont représentées ici proviennent de la côte nord-ouest du Pacifique.

Lorsque les Indiens adoptèrent la collecte comme genre de vie, ils déployèrent aussi des techniques de chasse différentes dont les trois derniers types représentent ici le changement. Certains chasseurs pistaient les animaux rapides et lançaient leurs javelots au lieu de piquer à la lance. C'est pour cette raison que de nombreuses pointes de cette époque, comme le type Eva, étaient barbelées, afin de mieux s'accrocher dans la chair de l'animal. L'usage des pointes barbelées évolua en taille à encoches latérales qui permirent de mieux fixer la pointe sur la hampe. Enfin, vers l'an 1000 ap. J.-C., apparurent l'arc et une variété de pointes de flèche. L'arc et la flèche restèrent l'arme de base des Indiens jusqu'à l'introduction des armes à feu par les Européens.

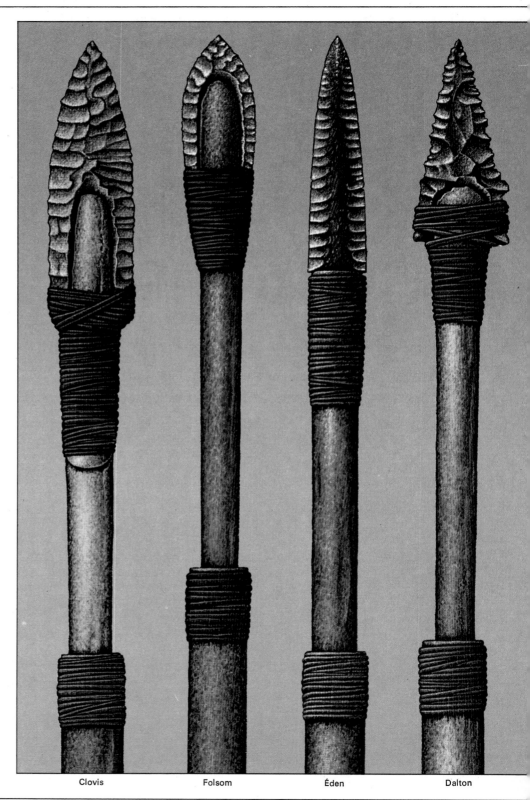

Clovis Folsom Éden Dalton

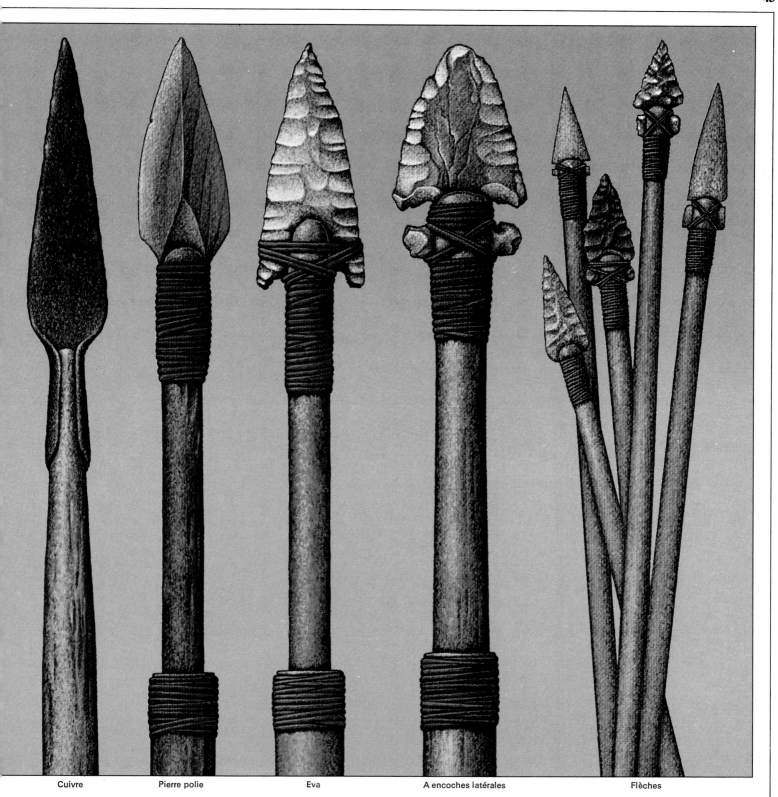

Cuivre   Pierre polie   Eva   A encoches latérales   Flèches

Préparant une embuscade pour les bisons, une bande de chasseurs indiens va encercler un troupeau qui pâture sur un terrain coupé de gorges desséchées. Les

courageux se glissent derrière le pachyderme pour essayer de couper les muscles et les tendons des postérieurs. Pendant que l'attention du mammouth est ainsi détournée, d'autres hommes se réunissent devant la bête et plongent leurs lances dans le poitrail pour perforer les poumons. Enfin l'une des pointes de silex semble atteindre son but et les barrissements sauvages diminuent. Comme la bête blessée commence à fléchir, les hommes s'approchent encore et lardent de coups de lance la chair tendre du ventre. Certains désormais qu'un festin les attend, les chasseurs regagnent la terre ferme pour attendre la fin du monstre qui agonise lentement, les pattes emprisonnées dans la vase rougie par le sang.

Puisque les mammouths, si l'on en juge par les qualités des éléphants actuels, ont dû être des bêtes très intelligentes, ils ne s'enlisaient pas fréquemment par accident. On peut dire avec une quasi-certitude que les chasseurs préhistoriques avaient élaboré des techniques pour refouler les animaux en direction des rivages mouvants des lacs. Dans certains autres sites, les pachydermes semblent avoir été chassés en direction d'un ravin aux

escarpements verticaux où, acculés, ils pouvaient être atteints sans pouvoir s'échapper. Dans un de ces sites, les ossements retrouvés appartiennent tous à des jeunes mammouths ou à des semi-adultes; on en déduit que les chasseurs avaient réussi à séparer du troupeau ces spécimens moins dangereux et à chair sans doute plus tendre.

Quelles que soient les techniques utilisées par l'homme de Clovis, il tuait des mammouths à un rythme très fréquent; enfin, régulièrement, les ossements exhumés des victimes portent encore, fichées en place, des pointes de lances visiblement fabriquées. Mais il ne faut pas croire que ces chasseurs se soient limités aux mammouths : de nombreux sites ont livré également des os d'espèces éteintes de cheval, de chameau ou de bison. Même si le mammouth constituait indubitablement une unité de nourriture « modèle géant économique », sa peau ne convenait guère pour la confection d'une tente ou d'un vêtement; les animaux appartenant à la famille de l'éléphant sont appelés pachydermes, ce qui signifie « à peau épaisse », et il existait d'autres grandes proies dont la *hommes ne laisseront libre qu'une seule issue que coupe un ravin (premier plan) vers lequel les bisons seront refoulés.*

Reconstitution d'une chasse préhistorique

Au cours d'une sécheresse, dans les années 50, le vent, emportant les couches superficielles du sol d'un champ situé près de Kit Carson (Colorado) mit à découvert des vestiges de chasse préhistorique : des os de bisons à longues cornes fossiles apparurent empilés dans un ravin, ou éparpillés à proximité, associés à des outils de pierre et à des pointes de lances soigneusement taillées. Les archéologues qui fouillèrent ultérieurement le site purent reconstituer une image étonnamment précise de la chasse qui s'était déroulée sur les lieux, voici 10 000 ans. C'est en s'inspirant de leurs découvertes que les pages suivantes décrivent la manière dont les Indiens, bien avant de connaître le cheval, savaient massacrer les grands troupeaux des plaines.

fourrure offrait des possibilités nettement supérieures à celles des peaux de mammouths. Les chasseurs de Clovis ont dû s'attaquer en particulier aux bisons dont la fourrure épaisse et touffue pouvait aisément être transformée en vêtements ou couvertures pour protéger l'homme contre le froid mordant des hivers de la prairie. Avec le temps, comme on le voit sur l'illustration ci-dessus où l'artiste a reconstitué une véritable chasse au bison, les chasseurs apprirent à compter de plus en plus sur cette énorme bête pour se procurer fourrure et viande, à ce point que l'animal finit par constituer pour les Indiens des plaines le principal moyen de subsistance.

L'hypothèse selon laquelle les peuples de Clovis eux-mêmes tannaient les peaux d'animaux comme le bison est plus qu'une simple déduction; un certain nombre de sites ont livré une quantité appréciable de grattoirs de pierre, dont plusieurs étaient sans nul doute destinés à nettoyer la chair et la graisse des peaux brutes. Pour écorcher l'animal et pour le découper en quartiers, les chasseurs de Clovis utilisaient des couteaux de pierre. Ces outils étaient fabriqués en frappant le bord d'un

nucleus de silex à grain fin ou d'obsidienne de manière à en détacher de longs éclats, ou lames, dont le tranchant quasi rectiligne était aussi effilé qu'un rasoir moderne.

A l'aide d'une telle lame de pierre, on peut dépouiller la peau d'un animal plus rapidement qu'en utilisant un couteau d'acier, ainsi que l'expérience suivante l'a prouvé. Voici quelques années, un chasseur professionnel du nom de Gene Seeley fut prié par un groupe d'étudiants en archéologie de venir tuer un ours sauvage qui s'était installé dans leur campement en Arizona et qui ne voulait plus céder la place. Seeley tua le plantigrade et ce fut ensuite, en discutant à propos d'outils de pierre, que les étudiants lui conseillèrent d'essayer de dépouiller la peau de l'ours en utilisant une lame d'obsidienne. Incrédule, Seeley accepta cependant et fut le premier surpris, ainsi que son assistance, de réussir à dépouiller entièrement l'animal, y compris le travail minutieux de la tête et des pattes, en moins d'une demi-heure : la même opération exécutée avec un couteau d'acier lui eût demandé deux fois plus de temps. Le seul inconvénient d'un outil de pierre, observa Seeley, était que celui-ci était presque trop effilé et qu'il

Le chef de l'expédition de chasse, après avoir donné le signal de l'attaque, lance un javelot à pointe de silex.

Obéissant au signal du chef, les chasseurs chargent le troupeau en brandissant leurs lances, en agitant des peaux et en hurlant pour effrayer les herbivores.

avait dû veiller spécialement à ne pas découper la chair elle-même sous la peau.

A quoi ressemblaient ces habiles fabricants d'outils, nul ne le sait, puisque aucun fossile humain ne nous est encore parvenu. Mais de leur adresse manuelle nous possédons des preuves abondantes. Celles-ci nous relatent l'histoire d'un peuple remarquablement prospère.

Les pointes de jet du type Clovis ont été retrouvées partout du Pacifique à l'Atlantique — au lac Borax en Californie du centre; dans les déserts du Nevada et de l'Arizona; dans toute la région du Mississippi et au nord-est jusqu'en Nouvelle-Écosse; enfin, au sud, jusqu'au Mexique et loin dans le Nord en Alaska. Puisque aucune pointe flûtée n'a jamais été exhumée dans l'Ancien Monde, ce type d'outils semble être d'invention américaine, peut-être la plus ancienne de toutes, et leur diffusion peut signifier seulement que le principe en a été transmis d'une bande de chasseurs à l'autre. A l'opposé, on peut imaginer que la distribution de ces pointes à travers un continent indique une série de migrations du peuple de Clovis.

Raisonnablement, le développement d'un instrument de chasse particulièrement efficace a pu conduire à une explosion démographique parmi les chasseurs de grand gibier; cela a pu les encourager à peupler des territoires situés loin de leur région d'origine, quelle que soit celle-ci, et ils auraient alors emporté avec eux cette pointe de jet spécialisée jusqu'aux quatre coins de l'Amérique du Nord.

Cette diffusion, qu'il s'agisse de population ou du simple principe d'un outil, fut extraordinairement rapide. Les pointes qui peuvent être datées (nombre d'entre elles ont été ramassées sur le sol sans aucun repère de leur ancienneté réelle) semblent toutes appartenir à une période d'un millénaire environ. Ainsi, avec la diffusion d'un genre de vie fondé sur la chasse au grand gibier dans presque toute l'Amérique du Nord, se dessine, semble-t-il, la première culture américaine, phénomène qui ne se reproduira pas avant l'arrivée des Européens, quelque 11 000 ans plus tard. Certes, cette culture ne peut être considérée comme homogène et unifiée. Les distances entre les groupes étaient considérables et des milieux

Frappés de panique, les bisons à longues cornes serrent les rangs, prennent la seule direction qui reste libre et détalent dans un galop aveugle et désordonné.

d'habitats différents ont produit toutes sortes d'adaptations de l'homme. Dans les plaines du Sud, le principal gibier du chasseur était le mammouth, mais la faune qu'il chassait ailleurs ne peut faire l'objet que de conjectures puisque nulle part on n'a retrouvé d'autres pointes du type Clovis associées aux ossements d'animaux. Cependant, la plupart de ces pointes caractérisées ont été retrouvées sur des sites des régions forestières; on peut donc raisonnablement supposer qu'elles furent employées contre le mastodonte, dont les ossements massifs ont été exhumés dans la plupart des régions boisées d'Amérique du Nord. Dans certaines régions de Nouvelle-Écosse, qui à cette époque ne se trouvait qu'à une centaine de kilomètres au sud des glaciers en retrait et qui formait alors certainement un paysage de toundra, c'est le caribou qui semble avoir constitué la proie la plus plausible.

Les chasseurs qui vivaient voici 11 000 ans ont dû également apprendre à exploiter les ressources végétales que contenaient leurs divers habitats. Ainsi, lorsqu'ils atteignirent les rivages de l'Atlantique ou du Pacifique, ils développèrent sans doute assez rapidement un goût pour les mollusques et pour un certain nombre d'autres créatures marines. Puisque la totalité de ces sites possibles le long des côtes est depuis longtemps submergée, le niveau des mers s'étant élevé progressivement au fur et à mesure de la fonte des glaciers, l'utilisation des mollusques reste presque une simple hypothèse. Pas tout à fait, cependant.

En 1967, des savants appartenant à l'Institut océanographique de Woods Hole entreprirent d'explorer le fond de l'océan au large de la baie de Chesapeake, à bord d'un sous-marin de poche appartenant à l'Institut, l'*Alvin*. Ils étudiaient les anciens contours de la côte continentale tels que ceux-ci se présentaient à l'âge de glace, espérant y trouver des indices des hommes préhistoriques. Dans les eaux peu profondes de la zone côtière, ils découvrirent une série de crêtes sous-marines, lesquelles représentaient évidemment des vestiges de plages surmontées de dunes, telles qu'on en rencontre encore fréquemment sur la côte actuelle de l'Atlantique, au sud-est des États-Unis. A quelque 45 m de fond, au sommet d'une de ces crêtes, les

Les animaux en fuite basculent dans le ravin à sec, qui est assez large et assez profond pour engloutir un certain nombre d'entre eux. Déboulant l'un par-dessus l'autre, les bisons finissent par combler le ravin et leur corps entassés forment un pont vivant sur lequel va passer le reste du troupeau.

Les Indiens, brandissant leurs lances, se précipitent vers le ravin et massacrent les bisons qui se débattent à la surface de l'entassement des corps. Déjà la plupart des animaux écrasés au fond par le poids de leurs congénères ont péri étouffés. Au total, les archéologues ont pu dénombrer en cet endroit 193 crânes de bisons.

savants aperçurent un tas d'écailles d'huîtres éparpillées, « le genre de témoignage dont on pouvait s'attendre à ce qu'il indiquât la présence d'hommes préhistoriques. » D'après les données connues concernant les variations post-glaciaires du niveau marin, il semble probable que le site découvert par l'*Alvin* fût approximativement contemporain des sites terrestres dans lesquels des pointes du type Clovis ont été trouvées et datées.

A mesure que le type de pointes de jet Clovis se répandait largement en Amérique du Nord, les formes locales de l'arme variaient. Tout d'abord, elles ne s'écartèrent que très peu du prototype : certaines sont en forme de bateau, plus étroites à la base, tandis que d'autres sont pisciformes, se rétrécissant, puis s'élargissant. Voici 11 000 ans environ un nouveau type plus nettement modifié apparut dont le premier spécimen fut découvert près de Folsom au Nouveau-Mexique par le cow-boy George McJunkin. Ces pointes, qui diffèrent très nettement du type Clovis par leur taille plus réduite et par le mode de flûtage, qui s'étend à la quasi-totalité de la longueur de la

lame, sont habituellement considérées comme caractéristiques de la culture initiale des peuples de Folsom originaires des plaines du Sud. Mais les hommes de Folsom furent rapidement remplacés, ou évoluèrent, cédant la place à des groupes qui fabriquaient des pointes non flûtées. Ces successeurs ont reçu de l'archéologie le nom de chasseurs de Plano pour les distinguer des hommes plus anciens. Avec ces nouveaux peuples apparurent des modifications considérables dans les habitudes de vie.

L'écart le plus frappant que l'on note entre les chasseurs de gros gibier de Folsom et de Plano par rapport à leurs prédécesseurs du type Clovis ne réside pas tant dans la forme des pointes de jet que dans les espèces d'animaux qu'ils traquaient. A l'époque de Folsom, le mammouth avait presque entièrement disparu et le gibier préféré des anciens Américains était l'animal qui, à partir de cette époque, hantera constamment les plaines indiennes, le bison. Au cours des millénaires qui allaient suivre, c'est le bison qui fournira à l'Indien son alimentation carnée. Sa peau robuste (que l'on tannait en employant le propre

cerveau de l'animal) fournissait au chasseur vêtement et gîte; ses excréments séchés alimentaient son foyer, tandis que ses os, ses cornes et même ses dents étaient transformés en outils, en armes ou en parures.

Le bison auquel s'attaquait l'homme de Folsom fut d'abord *Bison antiquus,* bête aux cornes puissantes, qui atteignait 1,80 m au garrot pour un poids d'une tonne. Quant aux peuples de Plano qui succédèrent aux Folsom, ils chassaient *Bison occidentalis,* espèce quelque peu moins grande, ainsi que l'espèce moderne actuelle, *Bison bison,* que l'on appelle communément « buffle ». Ces créatures étaient nettement plus faciles à tuer en quantités que ne le furent les mammouths, car les bisons hantaient les plaines en troupeaux gigantesques qui atteignaient parfois des milliers de têtes. Sur le site de Folsom proprement dit, la disposition des ossements déterrés nous apprend que c'est un groupe de 23 animaux qui a été poussé, puis massacré au fond d'un cul-de-sac. Ici, de même que dans d'autres sites de chasse du type Folsom, le principal objectif des hommes paraît avoir été la fourrure plutôt que la viande; les restes des bisons ne

sont pas éparpillés, ce qui aurait été le cas s'ils avaient été découpés en morceaux; en outre, l'os de la queue, qui normalement est conservé sur la peau, est presque toujours absent. Sans aucun doute, les peaux de bisons furent utilisées comme fourrures et autres pièces d'habillement qui protégeaient les chasseurs du froid.

A l'époque de Plano, la technique de l'encerclement naguère pratiquée par les chasseurs de Folsom s'était accrue d'une nouvelle tactique que l'on peut appeler la « culbute » : cette méthode consistait à refouler jusqu'à l'extrémité d'une falaise ou d'un promontoire ou encore au bord d'un ravin les bisons qui s'y précipitaient. Le massacre du gibier devint alors possible à grande échelle. Cette technique ainsi que l'encerclement allaient persister chez les Indiens des plaines jusqu'à l'époque historique; Lewis et Clark en furent témoins en 1805. Le fait que ce genre de chasse soit resté essentiellement identique au cours de nombreux millénaires nous est confirmé par le site de l'époque Plano, découvert près de Kit Carson, dans le Colorado. En cet endroit, voici quelque 8 500 ans, un groupe de chasseurs a fait basculer un

50

Après le massacre, cinq chasseurs unissent leurs efforts pour tirer un bison hors du ravin ; chaque animal pèse plus d'une tonne et de nombreux cadavres resteront dans le ravin, inaccessibles, là où ils sont morts. Dès que l'animal a été dégagé, un homme saisit la tête, tandis qu'un autre ouvre la gorge (à droite) et coupe la langue, morceau tendre et particulièrement savoureux que les chasseurs mangeront cru, séance tenante. La carcasse est alors retournée sur le ventre pour le découpage de la peau par le dos et pour permettre l'ouverture de la bosse, riche en graisse.

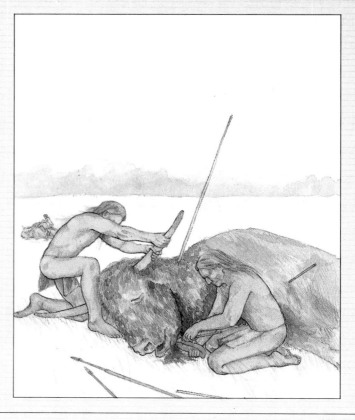

troupeau de bisons dans un *arroyo,* ou ravin, de 4 m de large, défilé naturel que les bisons empruntaient à l'origine pour se rendre à leur point d'eau et qui s'était creusé, atteignant une profondeur de 2 à 3 m. Ce site contient tant de témoignages que la scène de chasse elle-même a pu être reconstituée en images précises pour le présent ouvrage *(pages 44-53).* Les fouilles révélèrent entre autres que la saison de la chasse se situait fin mai ou début juin, car, parmi les squelettes déterrés se trouvaient ceux de très jeunes veaux qui naissent à cette époque de l'année. Les vestiges précisent même dans quelle direction soufflait le vent ce jour-là : de nombreux bisons, entassés les uns sur les autres au fond de l'*arroyo,* et que les Indiens n'ont pu utiliser pour la boucherie, ont été retrouvés là où ils étaient tombés, tournés en direction du sud ; leur position prouve que la brise soufflait alors vers le sud, ce qui avait permis aux chasseurs qui les poursuivaient d'approcher sans être repérés. De plus, des pointes de silex encore fichées dans les ossements retrouvés à la partie est du piège nous révèlent que les hommes postés au nord et à l'ouest avaient empêché les

bisons de s'échapper de la mêlée.

Les entassements d'os retrouvés dans ce site indiquent que le peuple de Plano savait découper le gibier aussi efficacement qu'il le chassait. Les hommes dépecèrent simultanément plusieurs bisons ce jour-là, en commençant par les pattes avant ; après avoir détaché la chair des os, ils jetaient ceux-ci dans l'ordre même où ils les avaient découpés des carcasses. La couche inférieure d'ossements se composait de pattes avant ; au-dessus gisaient les os du bassin et des pattes postérieures. Ensuite, on trouve les vertèbres et les épines dorsales ; remarquons que les côtes très charnues ont été découpées ; enfin, au sommet de l'entassement, on retrouve les crânes. Éparpillés à travers les couches, on note la présence des os de la langue de bison, ce qui indique que ces hommes, suivant ainsi une pratique qui ultérieurement adoptée par les Indiens des plaines, avaient tranché les langues et consommé ce morceau savoureux tout en travaillant.

Le développement de techniques spéciales pour la chasse à grande échelle implique d'importants progrès sociaux

Maintenant la boucherie bat son plein : les chasseurs s'affairent sur les cadavres ensanglantés. Au centre, les six hommes qui ont découpé la peau le long de la colonne vertébrale avec des lames de silex tirent celle-ci pour mettre à nu la bosse et la cage thoracique. Derrière eux, d'autres chasseurs empilent sur une peau les quartiers de viande, tandis que l'un des hommes jette un os de patte dans le ravin.

parmi les chasseurs : il faut évoquer une collaboration, tout au moins durant la saison de chasse, entre plusieurs groupes sociaux d'effectifs notables. Il était possible à une douzaine environ de chasseurs de tuer un mammouth ou un bison isolé; les membres d'un seul groupe y suffisaient; mais chasser un troupeau de buffles exigeait le concours de plusieurs bandes d'individus. Les archéologues qui ont fouillé le site de Kit Carson estiment qu'environ 20 tonnes de viande ont été découpées à cet endroit. Ils en déduisent qu'un effectif d'au moins 150 personnes a dû être nécessaire pour transporter un tiers seulement de ce poids.

Tout en restant dépendants des ressources en gibier, les peuples de Plano paraissent avoir eu toujours davantage recours aux nourritures végétales. La découverte de pilons et de pierres à broyer sur les sites de Plano dans l'Ouest et le Midwest, dans les régions comprises entre le Nouveau-Mexique et le Missouri, suggère qu'à l'époque de Plano les plantes sauvages comestibles ont formé une part de plus en plus importante dans l'alimentation de base des communautés.

Pourquoi un tel changement de régime alimentaire? La réponse est liée à l'une des énigmes les plus chaudement débattues de la préhistoire américaine : l'extinction du mammouth et de nombreuses espèces de gros gibier en Amérique du Nord. Entre — 12 000 et — 6 000 ans, c'est-à-dire au cours de la période qui vit l'apparition des chasseurs de Clovis, de Folsom et de Plano, plus d'une centaine d'espèces de mammifères disparurent mystérieusement du continent nord-américain. Parmi elles, citons le mammouth, le mastodonte, le cheval, le chameau, les grands paresseux et toutes les sortes de bisons, à l'exception de l'espèce moderne. (En ce qui concerne le cheval, c'était la seconde fois qu'il disparaissait d'Amérique : en effet, les anciennes races originaires du continent s'étaient éteintes à peu près à l'époque où des types plus modernes, qui descendaient eux-mêmes de races anciennement émigrées d'Amérique, franchissaient l'isthme de Béringie en provenance d'Asie. Cette deuxième vague d'immigrants vint à extinction durant l'époque de Plano, et le Nouveau Monde resta dépourvu d'espèce chevaline jusqu'à l'arrivée des troupes espagnoles de Cortès en 1518). Ces quelque 6 millénaires connurent également

Pour célébrer la réussite de la chasse, les hommes et leurs familles se réunissent au camp, qui est formé de grossiers abris de peaux tendues sur des poteaux. Tandis que les hommes, les femmes et les enfants se régalent de viande de bison à la broche (au premier plan), d'autres Indiens derrière eux grattent une peau étendue et suspendent des lambeaux de viande sur des bois pour les sécher. Ces morceaux séchés au soleil constitueront des rations légères à transporter, jusqu'à la prochaine chasse.

Un chasseur et sa femme s'apprêtent à lever le camp : ils ont enveloppé la viande séchée et leur matériel dans des peaux; ils disposent ensuite les ballots sur une sorte de traîneau tiré par des chiens. Les bâtons utilisés pour construire les abris et les perches à sécher la viande servent de brancards au traîneau. Dans le fond, une femme porte sa charge sur le dos; une lanière passée sur son front l'aide à supporter le poids.

d'importantes modifications climatiques. Lorsque les grands glaciers se retirèrent définitivement, le climat généralement froid et humide qui caractérisa les dernières époques glaciaires fit place en de nombreuses régions à un climat plus chaud et plus sec ressemblant davantage aux conditions qui y règnent aujourd'hui.

Ces animaux furent-ils exterminés par l'homme, par les changements de climat, ou par ces deux facteurs combinés ? Ceux qui considèrent que l'homme préhistorique a contribué, par des massacres répétés et inconsidérés, à la disparition du gibier, estiment que les changements climatiques ne peuvent expliquer d'une manière satisfaisante ces extinctions d'espèces. Selon le professeur Frank C. Hibben du département d'Anthropologie à l'université du Nouveau-Mexique, rien ne s'opposait à ce que les troupeaux eussent simplement suivi le retrait des glaciers jusqu'à atteindre des régions où la végétation et le climat leur convenaient. Lorsqu'il fait trop froid dans les pays nordiques, l'homme descend dans le Midi. Si certaines régions sont torrides en été, il émigre vers des climats plus frais.

Pour les partisans de la théorie du massacre par chasses excessives, les variations climatiques sont jugées moins importantes que le fait que nombre des espèces éteintes étaient des animaux non seulement de grande taille, mais qui vivaient en troupeaux. Ainsi ces espèces auraient davantage attiré les chasseurs et leurs hordes seraient restées plus vulnérables à des techniques de chasse toujours plus élaborées et plus efficaces. Les experts soutiennent que la pratique constante et répétée des tueries massives dans les chasses par « culbute » par exemple, qui revenaient à tuer un nombre d'animaux bien supérieur aux besoins alimentaires des membres de la tribu, a très bien pu réduire à zéro les chances d'une espèce déjà parvenue au seuil de l'extinction.

Les partisans de la théorie contraire, qui ne croient pas à la culpabilité des chasseurs préhistoriques, soulignent que des extinctions comparables, bien que moins spectaculaires, se sont produites parmi les mammifères d'Amérique du Nord longtemps avant l'arrivée de l'homme. Dans certains cas, comme pour le mammouth, les chas-

seurs ont pu donner le coup de grâce à une espèce qui, pour des raisons encore inconnues, était déjà condamnée. Mais, alors que le mammouth, le bison à longues cornes et d'autres grands animaux grégaires disparaissent, un certain nombre d'espèces presque aussi grandes et vivant également en troupeaux ont survécu : c'est le cas du bison moderne qui, déjà chassé par la méthode de la culbute à l'époque du Plano, continuait encore au XIXe siècle à être traqué selon la même technique. En fait, les bisons ont survécu par millions, même après que les chasseurs indiens eurent été équipés d'armes à feu. L'espèce ne s'éteignit pratiquement qu'à la fin du XIXe siècle, lorsque des bandes de chasseurs blancs entreprirent de massacrer systématiquement les troupeaux afin d'exterminer par la faim les Indiens en les privant de leur source essentielle de nourriture.

Quelle que fût la raison de ces extinctions massives de gros gibier — soit par la faute de l'homme, soit sous l'effet de facteurs naturels — d'importantes modifications dans le mode de vie des hommes préhistoriques américains

s'ensuivirent. L'une des raisons souvent invoquées pour expliquer la part croissante d'un régime alimentaire végétal est la rareté du gibier provoquée par cette vague d'extinction. On cite également l'accroissement de la population qui aurait poussé les individus à la cueillette. L'expansion démographique qui eut lieu aux époques de Clovis semble s'être poursuivie au cours des périodes suivantes, Folsom et Plano. Il dut en résulter une certaine limitation des migrations accomplies par les bandes de chasseurs. Désormais, ils ne pouvaient plus suivre le gibier là où celui-ci les conduisait comme leurs ancêtres le faisaient pour les gros mammifères; à présent, chaque bande se heurtait aux limites des territoires de chasse d'une autre bande — qui pouvait s'opposer par la force à l'arrivée d'intrus. Ce fut donc par nécessité que chaque groupe dut utiliser toutes les ressources alimentaires qu'offrait son propre territoire, en compensant la limitation de sa surface disponible par une exploitation plus intensive des végétaux aussi bien que de la faune. Lorsque les chasseurs ne peuvent chasser librement, il ne leur reste d'autre alternative que de se livrer à la cueillette.

Chapitre trois : Collecte et cueillette

Bien que les premiers Américains qui nous aient laissé des traces indiscutables étaient essentiellement des chasseurs traqueurs de gros gibier comme le mammouth ou le bison à longues cornes, il n'en reste pas moins que l'énorme continent à travers lequel eux et leurs descendants se répandirent recélait des ressources alimentaires incroyables, tant végétales qu'animales. Même après la disparition d'un certain nombre des plus grandes espèces, les plaines d'Amérique du Nord contenaient encore une énorme population d'antilopes aussi bien que de bisons modernes, tandis que dans les montagnes et les forêts vivaient en abondance le cerf, l'ours, le castor, le renard, le dindon sauvage, sans compter des centaines d'espèces de gibier de plus petite taille. Quant aux rivières et aux lacs, ils regorgeaient de poissons et, durant la saison, leurs eaux attiraient une faune d'oiseaux aquatiques (ou « sauvagine ») dont les vols innombrables obscurcissaient le ciel. Les mers côtières constituaient une réserve inépuisable de poissons et de coquillages auxquels s'ajoutaient suivant les régions des otaries, des phoques, des tortues et de gigantesques baleines. En outre, dans toutes les terres du continent, même dans les régions désertiques où le gibier restait moins abondant, poussaient au moins quelques espèces végétales comestibles, fruits sauvages, baies, noix, racines et graines de toutes sortes qui s'offraient à la cueillette. Ainsi, bien qu'ignorants de l'agriculture, les anciens Indiens purent-ils vivre confortablement lorsque les gigantesques mammouths, mastodontes, bisons géants, cuons (chiens-loups sauvages) et grands paresseux eurent définitivement disparu.

Le fait que les traqueurs de gros gibier aient souvent recherché des nourritures plus ordinaires nous semble certain. La preuve se trouve dans les ossements de mammouths et de bisons qui constituaient les proies princi-

pales des premiers Américains : dans les sites de Clovis, on retrouve également des vestiges de chevaux et de chameaux tandis que les anciens camps de Folsom ont livré des ossements de renards et de cerfs. Dans les camps des chasseurs de Plano qui traquaient le bison aux époques suivantes, on a déterré des pierres qui, indiscutablement, servaient au broyage; ainsi sait-on que les hommes de Plano ajoutaient à leur régime carné certaines espèces de plantes dûment préparées. Il est possible que tous ces peuples de chasseurs aient en fait davantage dépendu de nourriture végétale que les restes de leurs repas ne l'indiquent. Des os d'animaux abandonnés après un festin de chasse se conservent durant des milliers d'années, alors que les débris de végétaux disparaissent habituellement en quelques semaines.

Le passage d'un mode de vie axé sur la poursuite du gros gibier à une économie plus diversifiée qui comportait l'exploitation de diverses variétés de nourritures tant végétales qu'animales (c'est-à-dire la collecte à côté de la chasse) devient plus apparent au stade de la préhistoire américaine que l'on appelle la période archaïque et qui atteignit son apogée il y a environ 7 000 ans.

Il s'agit de changements dans l'importance relative de ces deux ressources plutôt que dans les ressources elles-mêmes : c'est ce que prouve la gamme des outils que nous ont laissés les peuples de la période archaïque. Dans presque toutes leurs cultures, la pointe de lance en silex, arme du chasseur, reste encore l'outil le plus fréquent, mais désormais la variété de l'outillage s'accroît. Une fabrication d'une technicité croissante apparaît avec des outils spéciaux pour percer, pour fabriquer des hameçons et des filets afin de capturer le poisson. La pierre elle-même est plus largement utilisée sous une nouvelle forme. Les outils désormais sont en pierre polie plutôt qu'en éclats taillés. Ces nouveaux procédés constituaient davantage qu'un simple perfectionnement, car ils accrurent énormément la gamme des matériaux bruts disponibles pour la fabrication d'outils. Presque toute pierre dure comme le basalte pouvait désormais être façonnée en hache utilisable tandis qu'une matière plus fragile comme le schiste, qui ne se prête pas à la taille par éclats, pouvait être par polissage façonnée en bonnes

Découvert dans une grotte dans l'Ouest de l'Utah, ce fragment d'un sac en mailles de filet vieux de 6 000 ans nous révèle l'ingéniosité de l'homme préhistorique américain, à l'époque où il abandonna la chasse au gros gibier pour la cueillette des plantes, et la chasse aux petits animaux. Les habitants du désert tissèrent ce sac en fibres de coton sauvage et l'utilisèrent comme sac à provisions pour transporter la nourriture qu'ils avaient collectée.

pointes de lances; même les blocs de pierre tendre pouvaient être creusés pour fabriquer des récipients. C'est de cette période que datent les premiers témoignagnes indiquant l'usage commun d'un certain nombre d'inventions décisives : les bateaux, les paniers tressés, le tissage des vêtements et même l'apparition des premiers objets de métal.

La plupart de ces importants progrès technologiques semblent remonter environ à 9 000 ans. De la grotte de Danger Cave, située à la bordure occidentale du Grand Désert Salé de l'Utah, nous vient une variété surprenante d'objets façonnés. On y trouve des flèches, des alênes, des meules à grains et des disques de mica. Preuves plus importantes pour un peuple vivant de collecte, qui avait besoin de récipients robustes mais légers utilisés pour la cueillette des noix et des graines, on trouve des vestiges de cordages tressés ou enroulés. Cette découverte nous indique avec une quasi-certitude que les habitants de Danger Cave connaissaient l'art de tresser les paniers. Puisque habituellement les articles de vannerie se détériorent très rapidement, il est possible que les Indiens aient appris la fabrication de ces objets à une époque encore antérieure; suivant l'opinion de certains experts, ces peuples furent les premiers au monde à maîtriser cette technique inestimable. Puis, avec l'usage d'une matière entièrement nouvelle, le cuivre, les anciens Indiens abordèrent timidement l'âge du métal.

Les dimensions et la complexité de leurs outillages et les changements que ceux-ci produisirent dans le genre d'existence de leurs propriétaires varièrent suivant le milieu dans lequel vivaient ces peuples. L'environnement constituait partout le facteur déterminant. Dans les déserts de l'Ouest, les ressources étaient plus rares. Les hommes étaient contraints de mener une existence nomade afin de collecter une nourriture suffisante pour survivre, et leurs possessions se limitaient étroitement à la charge qu'ils pouvaient porter à dos. Dans les régions plus riches, telles que les terres boisées de l'Est, les ressources immédiatement disponibles étaient plus abondantes, et ainsi purent apparaître de petits établissements, qui furent d'abord des camps de base plus ou moins permanents, d'où partaient des expéditions de fourrage

à grande distance; cette abondance, en outre, conduisit à l'accumulation d'un plus grand nombre d'outils. Dans une région particulière, la côte nord-ouest du Pacifique, l'existence de ressources naturelles remarquables alliées à une technologie hautement efficace en matière de récolte aboutit finalement à la création de villages vraiment permanents : on y trouvait des maisons de planches, des canoës de guerre propulsés à la pagaie, et dont la longueur dépassait 15 mètres, des sculptures et peintures décoratives, ainsi qu'un cérémonial de vie extraordinairement élaboré. Là, dans ce qui constitue maintenant les États de l'Oregon, de Washington, de l'Alaska du Sud-Est, de la Colombie britannique et de la Californie du Nord, prospéra l'une des plus riches sociétés proto-agricoles que le monde ait jamais connues.

La première preuve que nous possédions de ce passage d'une vie de chasse au grand gibier à une existence de collecte et de fourragement provient du pays désertique qui s'étend entre les Rocheuses, la Sierra Nevada et les monts Cascades. Cet immense territoire, où sans doute le gros gibier ne fut jamais très abondant, est principalement constitué par un plateau et englobe la totalité des États actuels du Nevada, de l'Utah et de l'Arizona, des parties arides ou semi-arides de l'Oregon, de l'Idaho et de la Californie, du Nouveau-Mexique de l'Ouest et d'une grande partie du Mexique du Nord. Il s'agit de l'un des habitats les plus ingrats d'Amérique du Nord, qui impose de sévères limites à l'existence humaine. Les hautes montagnes courent de l'ouest à l'est, leurs sommets culminent à 4 700 mètres et constituent une barrière qui arrête à peu près toute l'humidité provenant du Pacifique ou remontant du golfe du Mexique. Sur le plateau intermédiaire, la moyenne des précipitations annuelles se situe autour de 250 mm et, sur les montagnes qui barrent le plateau d'une chaîne nord-sud, les pluies ne dépassent guère ce taux.

Bien que la région possède quelques grands cours d'eau, le Snake au nord, le système Green-Colorado-Gila au sud, ces rivières coulent au fond de canyons vertigineux (le Grand Canyon du Colorado, profond de 1 500 m, est le plus célèbre) et leur isolement par rapport aux pays environnants réduit au minimum leur influence sur la végétation, et ce pays reste également d'accès difficile à l'homme. Partout ailleurs, les torrents qui coulent des montagnes se perdent dans le désert de sable ou forment des mares stagnantes; souvent, ils s'assèchent complètement en saison chaude. Il existe également quelques lacs, mais la plupart d'entre eux sont saumâtres ou, comme le Grand Lac Salé, leur salinité dépasse celle des océans; certaines de ces nappes d'eau s'évaporent temporairement après plusieurs années de sécheresse consécutives.

La végétation varie quelque peu du nord au sud, mais bien davantage suivant l'altitude et la proximité de l'eau : des joncs, des roseaux, des herbacés divers, des saules rabougris et parfois un peuplier, se dressent sur les rives d'un lac ou d'un torrent; on y rencontre aussi l'ambroisie, des chenopodes (ansérines ou pattes-d'oies) et des touffes clairsemées d'herbacés vivaces dans les régions les plus sèches. Les déserts du Sud renferment des cactus dont la taille varie de celle d'une pelote d'épingles aux 10 m du majestueux Saguaro. Sur les flancs des montagnes poussent des bosquets clairsemés de genévriers et de pins Cembro qui, au fur et à mesure que l'on s'élève en altitude, sont remplacés par des pins rabougris *(Pinus contorta)* et des alpages herbeux qui, vers les sommets, cèdent la place à des champs de neige éternelle.

Selon les géologues, cette région accidentée était autrefois plus humide et recélait une végétation et une vie animale plus diversifiées qu'aujourd'hui. La faune était riche à cette époque : le bison et l'élan se rencontraient dans les régions plus favorisées du Nord et de l'Est, mais partout ailleurs les plus grandes espèces étaient celles du cerf et du mouton bighorn qui vivaient sur les hauts versants; plus bas, le plus gros gibier était constitué par les antilocapres, ou pronghorns (antilopes d'Amérique). Mais les bêtes les plus répandues étaient de petite taille : le lapin, la marmotte, le chien de prairie et les rongeurs de la forêt. Dans ces régions, il fallait un concours de circonstances exceptionnel pour que la faune abondât au point de constituer plus qu'un assez faible appoint alimentaire à l'homme préhistorique; l'habitant du désert devait généralement manger tout ce qu'il trouvait.

La preuve la plus ancienne de ce régime alimentaire éclectique nous vient de la grotte dite Ventana Cave située au sud de la ville de Phœnix, dans le désert de l'Arizona méridional où poussent l'ambroisie, le yuka et le cactus. Les peuples vivant dans cette caverne étaient apparentés aux chasseurs de Clovis; dans les couches les plus profondes du sol de la grotte, datées à quelque 10 000 ou 11 000 ans, on a découvert une petite pointe de Clovis. Pourtant, à la différence de leurs voisins chasseurs de mammouths, les hommes de Ventana ne traquaient pas le gros gibier. La plupart des ossements découverts associés avec leurs armes se rapportaient à de petits animaux, comme le cerf, les coyotes, les pécaris et les blaireaux.

Ces gens avaient déjà appris à utiliser au mieux les espèces végétales les plus communes dans le désert, c'est-à-dire les graines des herbes et des arbustes. Dans l'un des niveaux inférieurs de la grotte se trouvait une pierre relativement plate dont l'une des faces était légèrement concave. Il semble qu'il s'agisse d'une pierre à broyer, et celle-ci est sans doute le spécimen le plus ancien de ce type, qui est caractéristique des peuples fourrageurs d'Amérique du Nord. Au moyen d'une pierre de ce genre, les graines des herbes, indigestes à l'état brut, peuvent être moulues, puis cuites pour constituer une sorte de pain de gruau sans levain, aliment qui, aujourd'hui encore, reste la nourriture principale de nombreux habitants des déserts du Sud-Ouest.

D'autres fouilles nous ont fourni non seulement des pierres à broyer presque aussi anciennes que celle de Ventana, mais également des restes de paniers; cette vannerie était indispensable à ces mangeurs de graines; ils constituaient des ustensiles de cuisson et des récipients aisément transportables, permettant un ramassage plus efficace des graines et baies sauvages. Désormais en possession de matériel de mouture et de paniers tressés légers, ces populations du désert disposaient de l'équipement de base nécessaire à la meilleure exploitation possible des diverses ressources alimentaires du milieu dans lequel elles vivaient.

Chez les peuples qui sont essentiellement des chasseurs,

les graines constituent une alimentation d'appoint aux époques où le gibier devient rare. Or, dans les déserts d'Amérique du Nord, le gibier est souvent peu abondant et de petite taille et c'est pourquoi l'économie de ces habitants fut principalement axée sur les graines. Celles-ci étaient ramassées dans des paniers; il s'agissait de plantes telles que le tournesol, les chenopodes, le yuka. Leurs dimensions variaient depuis les glands trouvés dans quelques endroits relativement humides, jusqu'aux microscopiques grains de mil indien récoltés dans le désert. Ces graines étaient disposées sur la surface d'une pierre à broyer puis écrasées à l'aide d'un petit pilon à main jusqu'à réduction en une farine grossière; on en façonnait des sortes de pains; ceux-ci étaient alors cuits dans les cendres ou bouillis dans des paniers étanches dans lesquels on plongeait des pierres brûlantes. Ce furent ces méthodes primitives de mouture mises au point par les habitants du désert de la période archaïque qui préfigurèrent les méthodes de broyage sur pierres plates (métate et mano), procédé encore largement utilisé dans les campagnes du Mexique pour moudre le grain de maïs cultivé.

Les peuples qui vivaient de graines et de petit gibier en vinrent rapidement à occuper la quasi-totalité des régions arides et semi-arides situées à l'ouest des Rocheuses, de l'Oregon jusqu'au Mexique. En conséquence, une agriculture rudimentaire se développpa dans la partie sud de cette région, tandis qu'au nord du fleuve Colorado, la rudesse, tant du relief que du climat, tendit à limiter le progrès et à maintenir une certaine stagnation des populations. Le mode de vie de fourragement se maintint sans modifications notables, à partir au moins de 7 500 ans av. J.-C. jusqu'aux temps historiques. Les tribus Shoshones, Utes et Païutes, confinées sous la pression de voisins plus puissants à la région du Grand Bassin, c'est-à-dire la zone désolée comprenant le Grand Lac Salé en Utah, les solitudes du Nevada et la Death Valley (vallée de la Mort en Californie), vivaient encore chichement en fourrageurs du désert lorsque les explorateurs blancs les rencontrèrent pour la première fois. Des témoignagnes oculaires portant sur les habitudes de ces tribus, et qui furent confirmés par les preuves tirées des fouilles archéologiques, ont permis la reconstitution de la vie que menèrent les prédécesseurs (et peut-être ancêtres?) préhistoriques de ces peuples du désert.

Le décor est celui de l'extrémité nord-ouest de l'État actuel de l'Utah où le paysage plat du désert contraste avec des montagnes abruptes et dénudées. Nous sommes au début du printemps, il y a environ 4 000 ans. Une bande de nomades du désert descend de la vallée montagneuse où elle vient de passer l'hiver en compagnie de quelques autres groupes; tous sont parents par le sang ou par alliances, et ils forment une tribu aux liens très lâches. Durant l'hiver, les noix parfumées et oléagineuses extraites des cônes de pins Cembro ont fourni à la tribu l'essentiel de son alimentation. Mais maintenant toutes les noix de pins sont épuisées et chaque bande doit se disperser pour se nourrir. Comme les autres groupes, celui-ci, qui dévale les pentes de la montagne, se compose d'un faible effectif ne dépassant pas vingt ou trente personnes formant une seule grande famille d'individus de tous âges: grands-parents au visage ridé, robustes adultes et bébés minuscules attachés au dos de leurs mères. Courant aux côtés des hommes, voici les chiens, animaux domestiqués en Amérique il y a au moins 6 000 ans et servant à notre tribu d'auxiliaires de chasse, de nettoyeurs des déchets du camp et de gardiens signalant l'approche de prédateur humain ou animal et, en cas de disette, de pâture éventuelle.

Le soleil brille au moment où la bande approche du désert, mais la saison est encore précoce et un froid hivernal rafraîchit l'air pendant une grande partie du jour, si bien qu'hommes et femmes sont vêtus de couvertures ou de robes de fourrure jetées sur leurs épaules ou retenus à l'aide de ceintures; comme protection contre les pierres coupantes du sol, tous portent des sandales tissées en roseaux, puisque les peaux de bêtes solides d'où ils tirent les mocassins sont extrêmement difficiles à trouver.

Les nomades, arrivés sur les berges d'une petite rivière peu profonde (c'est la seule qui coule dans leur territoire), établissent un camp provisoire. Les hommes tirent de leurs fardeaux des lignes et des hameçons d'os, ils les garnissent de morceaux de viande et les tendent dans les eaux les plus profondes pour pêcher truites, poissons-ventouses ou chabots. Pendant ce temps, les femmes coupent de jeunes plants de chardon, de cresson de fontaine, d'une fleur comestible de montagne, la *Montia parviflora,* et de trèfle pour composer une salade de verdure, dont la bande a été privée tout l'hiver; d'autres femmes grattent la terre à l'aide de bâtons à fouir en bois dur, afin de déterrer les racines encore tendres de joncs des marais qui poussent sur les berges humides. Sur le sol plat, à quelque distance de l'eau, des adolescents excitent les chiens à lever quelques lapins qu'ils prennent comme cibles d'entraînement au javelot ou à la lance; ils lancent cette arme à l'aide d'un « atlatl », ou propulseur. Ils ignorent encore l'arc et la flèche, lesquels n'apparaîtront pas en Amérique avant un autre millénaire.

Les hommes savent que dans quelques semaines les vols de canards migrateurs passeront dans le ciel, remontant vers le nord en direction des terrains de nidification, et le moment est venu pour les chasseurs d'entreprendre une expédition jusqu'à une petite mare enfermée dans un creux à quelque 20 km en aval, et dans laquelle se jette le ruisseau. L'étang est saumâtre mais non sans vie : les oiseaux migrateurs y font escale pour s'y nourrir de vers et de larves d'insectes.

Sur une falaise de grès dominant le lac, s'ouvre une petite grotte qui fut longtemps utilisée par les Indiens comme cachette où ils déposaient leur matériel trop lourd ou trop encombrant à transporter au cours de leur long voyage annuel. Les hommes disposent maintenant sur l'eau un groupe de canards « appelants » parfaitement imités. Ces leurres sont faits de roseaux liés ensemble par des fibres végétales et recouverts de véritables plumes de canards. Jour après jour, les chasseurs attendront chaque matin et chaque soir à l'affût dans les touffes de roseaux qui garnissent la berge jusqu'à ce que, enfin, un vol de canards ait repéré les appelants et se pose sur l'étang pour se nourrir. Au moment où les oiseaux nagent vers leurs faux congénères, les hommes se dressent soudain et lancent leurs javelots. La plupart des canards s'envolent aussitôt en désordre mais une demi-douzaine de volatiles flottent à la surface; ils seront ramenés au rivage par les chiens qui recevront les tripes des oiseaux en récompense. Pendant ce temps, quelques jeunes enfants ayant obtenu l'autorisation de participer à l'expédition de chasse fouillent les touffes de roseaux à la recherche d'œufs de grèbes ou de poules d'eau, tandis que d'autres tendent des collets de fibres végétales pour capturer rongeurs et lapins.

Lorsque le dernier vol de canards est passé, les chasseurs rangent à nouveau leurs appelants dans leur cachette; ensuite, s'étant accordé une journée de repos, ils déploient un filet de pêche, également en fibres végétales, et ils alourdissent la partie inférieure avec des pierres jusqu'au fond. Six ou sept des pêcheurs entrent dans l'eau jusqu'à la ceinture et, exécutant un mouvement tournant, referment le filet avec sa charge de poissons.

A la fin de l'été, un soleil ardent élève la température de l'après-midi bien au-delà de 40°, et le cours d'eau qui coulait près du camp de base est réduit à une suite de mares réunies par des filets d'eau ou des bancs de sable humide. Les hommes portent maintenant des sortes de pantalons en peau d'antilope; ils ont le torse nu. Les femmes sont vêtues seulement de courts tabliers en deux parties, l'une par devant, l'autre sur les reins. Afin de trouver l'ombre contre la chaleur de midi, les hommes bâtissent des abris de branchages. Ces huttes n'offrent que peu de protection contre les trombes d'eau des orages, mais la pluie est rare et si brève qu'en quelques minutes la chaleur du soleil sèche toutes les flaques.

C'est maintenant l'époque où les femmes vont prospecter le désert à la recherche de racines et de tubercules. Elles portent sur le dos, attachés par une lanière qui leur entoure le front, de grands paniers coniques tressés en osier, en jonc ou en herbe, dont certains dépassent 40 l de capacité. En creusant le sol, elles ramasseront des oignons de jacinthes sauvages, des saigous, des lewisia ou portulacées, des oignons de gentianes, des yampas, dont la plupart seront mis en réserve. Comme la saison s'avance, les femmes commencent à rechercher les graines de riz sauvage mûr, de chenopodes ou autres plantes. Les grains sont soigneusement déposés dans un petit panier tenu à la main qui, une fois plein, est vidé dans un récipient plus grand. De retour au camp, ces

Vannerie à tout faire: récipients pour la cueillette

Lorsque les anciens Indiens commencèrent à abandonner le régime carné pour adopter une alimentation essentiellement végétale, ils durent inventer un nouvel ustensile : le panier, qui était indispensable pour contenir noix, graines ou baies récoltées. Les techniques, d'abord utilisées pour la vannerie des paniers, s'étendirent bientôt à d'autres usages utiles; on fabrique des chapeaux, des sandales, des pièges à poissons (genre nasses), et même des objets revêtant une valeur religieuse ou ornementale.

Nous ne possédons que des fragments des plus anciens types de paniers, mais les exemples donnés ci-dessous, qui proviennent des collections du Musée de l'American Indian à New York et de la Smithonian Institution, sont considérés comme des reproductions de dessins primitifs. Les paniers de travail comprennent *(de gauche à droite)*: un panier Mashpee du cap Cod, avec une bandoulière; un panier à moudre (Californie), fait de fibres enroulées au-dessus d'un mortier de pierre; un panier de stockage de provenance apache; une bouteille à eau (Sud-Ouest des États-Unis), rendue étanche par application de résine de pin; et, enfin, un panier du type « sac à main » que les Indiens Wasco du Nord-Ouest utilisaient pour transporter leurs objets personnels.

PANIER « SAC A MAIN »

PANIER A MOUDRE

PANIER DE TRANSPORT

BOUTEILLE A EAU

PANIER DE STOCKAGE

Vannerie : chapeaux, plateaux, canards « appelants »

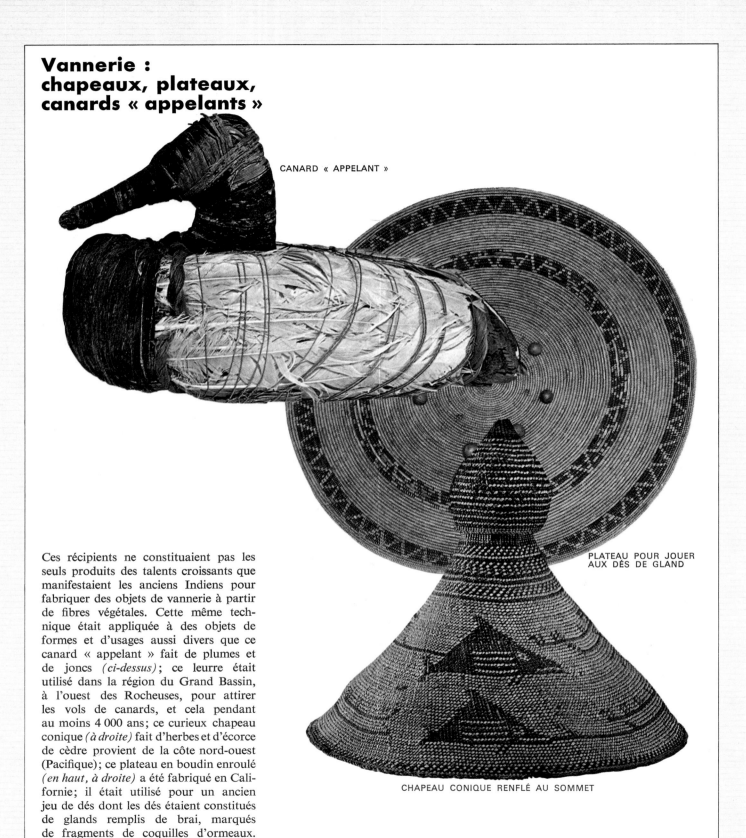

CANARD « APPELANT »

PLATEAU POUR JOUER AUX DÉS DE GLAND

CHAPEAU CONIQUE RENFLÉ AU SOMMET

Ces récipients ne constituaient pas les seuls produits des talents croissants que manifestaient les anciens Indiens pour fabriquer des objets de vannerie à partir de fibres végétales. Cette même technique était appliquée à des objets de formes et d'usages aussi divers que ce canard « appelant » fait de plumes et de joncs *(ci-dessus)*; ce leurre était utilisé dans la région du Grand Bassin, à l'ouest des Rocheuses, pour attirer les vols de canards, et cela pendant au moins 4 000 ans; ce curieux chapeau conique *(à droite)* fait d'herbes et d'écorce de cèdre provient de la côte nord-ouest (Pacifique); ce plateau en boudin enroulé *(en haut, à droite)* a été fabriqué en Californie; il était utilisé pour un ancien jeu de dés dont les dés étaient constitués de glands remplis de brai, marqués de fragments de coquilles d'ormeaux.

graines seront grillées par mélange avec des charbons ardents dans des paniers d'osier. La chaleur fera éclater les gaines et gousses non comestibles et libérera les graines qui y sont contenues. Lorsque les graines sont grillées, les femmes, agitant habilement le panier, séparent les braises des grains cuits. Une partie de la récolte est alors moulue pour être immédiatement transformée en gâteaux ou en bouillies. Les femmes actionnent les pierres à broyer, bavardant ou travaillant en cadence, au rythme du chant scandé par l'une d'elles. Les graines en surplus sont conservées en réserve dans de profonds paniers en forme d'outres.

Pendant ce temps, les chasseurs de la bande ne sont pas restés inactifs avec leurs collets, leurs pièges et leurs propulseurs. Par chance, les antilopes, en particulier, sont abondantes cette année, aussi une partie du gibier est-elle découpée en bandes et conservée par séchage au soleil, au lieu d'être grillée et consommée sur-le-champ.

L'arrivée de l'automne ouvre la saison des baies sauvages : baies de sureau, amélanches, éléagnacées « oliviers bohémiens », groseilles sauvages et sorbes, qui commencent à mûrir le long de la rivière aux eaux basses. Lorsque ces cueillettes sont terminées, il est temps pour la bande de regagner ses montagnes; en effet, à la fin de l'automne, les cônes de pins Cembro, dont les noix constituent la principale ressource alimentaire de la tribu durant l'hiver, sont mûres et prêtes à être cueillies. Cependant, il n'est pas question pour le groupe de retourner à ses quartiers de l'hiver précédent; en effet, les noix de pins y sont épuisées et on ne peut espérer de nouvelle récolte avant trois ou quatre ans. Mais, l'hiver précédent, les chasseurs de la tribu ont découvert une crête où les cônes poussaient en abondance, laissant prévoir une riche moisson pour l'automne. C'est donc vers un nouveau camp d'hiver choisi d'avance que la bande se dirige maintenant.

A proximité de la crête de pins Cembro, les fumées qui s'élèvent dans l'air de l'automne indiquent qu'un autre groupe s'y trouve déjà. Ces individus étaient attirés non seulement par la présence de cônes de pins précieux, mais également par l'attente d'une importante activité collective : la chasse au lapin. Bientôt, la crête est occupée par une demi-douzaine de bandes, et les choses se présentent bien. Le porte-parole de l'un des groupes rapporte que la population de lapins d'une vallée voisine accuse une augmentation sensible cette saison-là. L'homme qui annonce ces nouvelles est le spécialiste de la battue au lapin : c'est une fonction qu'il doit principalement au fait que sa famille possède un filet à lapins d'une longueur remarquable. Cet engin extrêmement soigné est tissé en corde tirée de fibres de coton sauvage. Il ressemble à un filet de pêche à mailles larges, mais sa largeur ne dépasse pas 60 cm. Par contre, la longueur atteint 70 m. C'est le fruit du tissage d'une demi-douzaine au moins de générations, qui y ont patiemment contribué. Lorsqu'une douzaine de filets du même genre que possèdent les autres familles ont été mis bout à bout, la longueur disponible permet de barrer le terrain sur près d'un kilomètre.

La chasse aux lapins implique l'action combinée de toutes les bandes présentes, à l'exception des vieillards, des mères et des jeunes enfants qui n'y prennent pas part. Un premier groupe prend les devants et va barrer l'entrée de la vallée aux lapins, au moyen des filets, tandis qu'un second groupe prend position pour faire fonction de rabatteur. Les chasseurs s'échelonnent sur les sommets des falaises abruptes qui encadrent la vallée des deux côtés et, à un signal de fumée déclenché par le chef, ils dévalent les pentes. Les hommes, poussant des hurlements, battent les buissons au bâton; et à leurs voix rauques font écho les cris aigus des enfants et les aboiements stridents des chiens.

Voici qu'un lapin s'enfuit dans la vallée en faisant des bonds d'un mètre, trois autres le suivent, puis une douzaine. En quelque vingt minutes, toute la partie supérieure de la vallée grouille d'animaux. Cependant, le groupe qui a établi le filet est rangé en ligne en avant de celui-ci; il est armé de bâtons et de javelots. Voici que les premiers lapins en fuite approchent et les chasseurs s'efforcent d'en massacrer le plus possible pour éviter que trop d'entre eux ne s'engagent dans le fragile filet qui serait détérioré. Derrière le filet, une troisième rangée d'hommes s'empare des lapins pris dans les mailles et tuent la plupart des animaux qui tentent de s'échapper.

Lorsque la ligne des rabatteurs atteint le filet à son tour, le sol est jonché de cadavres à fourrure. Après une légère pause, les chasseurs commencent à dépouiller le gibier et à le vider habilement à l'aide de lames de silex. Chargés du butin, tous reviennent au camp où la collectivité fait un festin de viande, après quoi les femmes commencent à préparer les peaux. En taillant par le bord une peau de lapin étendue et en découpant celle-ci en spirales vers le centre, les femmes obtiennent ainsi de longues bandes de fourrure; les plus expérimentées tirent 7 m de bande d'un seul tenant, d'une même peau. Les lanières de fourrure sont alors tendues entre les arbres pour sécher, et les bords se racornissent, ce qui fournit une corde de fourrure épaisse de 2 cm environ. Une trentaine de lanières de ce genre, longues de 2 m, seront ensuite assemblées côte à côte et cousues avec des morceaux de peau, formant ainsi une chaude couverture de poil de lapins.

Ces travaux ne seront pas superflus car la saison avance, le jour décroît rapidement et le froid augmente. Déjà, les familles les plus prévoyantes ont creusé des puits circulaires dans le sol et recouvrent l'orifice d'un toit de branchages, de rondins, de peaux ou d'écorces. C'est dans ces huttes à demi enterrées que la tribu passera les longs mois d'hiver; elle se nourrira principalement de la viande séchée et puisera dans ses réserves de racines, de graines et de noix de pins. Bientôt les montagnes se recouvrent d'une épaisse couche de neige qui durera des semaines; l'hivernage de la tribu se passera à ravauder les filets, à réparer le matériel de chasse et à fabriquer de nouveaux équipements. Simultanément, de nouveaux liens sociaux se noueront tandis que des conteurs parleront tour à tour assis devant les foyers fumants. Hélas, la précieuse réserve de nourriture diminue trop vite et même si, à l'occasion, un castor, un cerf ou un chat sauvage est ramené par les chasseurs, cet appoint ne suffit pas à calmer la faim grandissante. Lorsque, enfin, l'allongement des jours signale l'approche du printemps, les divers groupes ne tardent pas à reconstituer leurs bandes originales qui se sépareront pour reprendre leurs activités

PANIER DE TRANSPORT TRESSÉ A PLUME

Vannerie : œuvres d'art et rituel

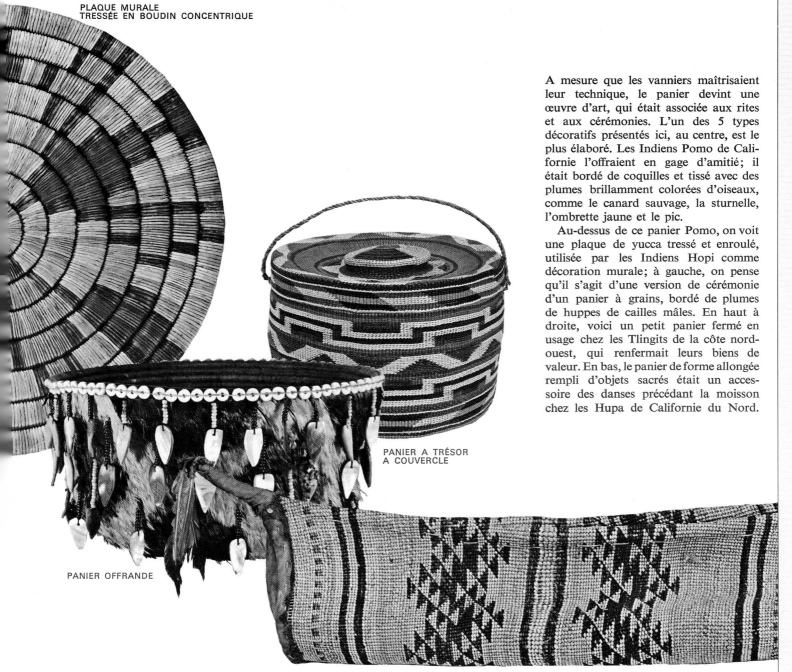

PLAQUE MURALE TRESSÉE EN BOUDIN CONCENTRIQUE

PANIER A TRÉSOR A COUVERCLE

PANIER OFFRANDE

PANIER POUR DANSES

A mesure que les vanniers maîtrisaient leur technique, le panier devint une œuvre d'art, qui était associée aux rites et aux cérémonies. L'un des 5 types décoratifs présentés ici, au centre, est le plus élaboré. Les Indiens Pomo de Californie l'offraient en gage d'amitié; il était bordé de coquilles et tissé avec des plumes brillamment colorées d'oiseaux, comme le canard sauvage, la sturnelle, l'ombrette jaune et le pic.

Au-dessus de ce panier Pomo, on voit une plaque de yucca tressé et enroulé, utilisée par les Indiens Hopi comme décoration murale; à gauche, on pense qu'il s'agit d'une version de cérémonie d'un panier à grains, bordé de plumes de huppes de cailles mâles. En haut à droite, voici un petit panier fermé en usage chez les Tlingits de la côte nord-ouest, qui renfermait leurs biens de valeur. En bas, le panier de forme allongée rempli d'objets sacrés était un accessoire des danses précédant la moisson chez les Hupa de Californie du Nord.

saisonnières de fourragement.

Hors des régions désertiques de l'Ouest, les peuples de collecteurs de la période archaïque menaient, pour la plupart, une vie plus clémente. En Californie centrale, où les chênaies regorgeaient de glands de belle taille, la récolte occupait avant tout les femmes de la tribu : celles-ci, réunies autour du panier, décortiquaient, broyaient et faisaient macérer ces glands dans des mares au fond de puits de sable, afin d'en éliminer le tanin acide qui donnerait aux glands bruts un goût amer, si l'on cuisait gruaux ou pains à partir d'une farine non traitée. Un peu plus loin vers l'ouest, se trouvaient les riches ressources alimentaires de la côte californienne : on y rencontrait en abondance les ormeaux, les clams, les moules, de nombreuses sortes de poissons et de mammifères marins, tels que les phoques et les loutres de mer. Dans ces deux régions bien approvisionnées, les groupes de fourrageurs comptaient un effectif plus important que les bandes du désert, et leur vie tendait à se concentrer autour de camps de base plus ou moins permanents.

Dans les grandes plaines s'étendant à l'est des Rocheuses, les troupeaux de bisons étaient si nombreux que la chasse continuait à représenter la principale source de nourriture ; là, les peuples restaient largement nomades, traquant les grands troupeaux comme leurs ancêtres l'avaient déjà fait à l'époque de Folsom et de Plano. Au-delà des plaines, le pays forestier qui se prolonge jusqu'à l'Atlantique ne convenait pas à la capture aussi aisée des grands troupeaux d'animaux. Le gibier principal était le cerf, mais les chasseurs de l'époque ne méprisaient pas les félins sauvages, le dindon, l'écureuil, l'opossum, la tortue, et toute une variété de poissons et de moules d'eau douce ; ils complétaient ce régime par des glands et par des noix récoltées sur les diverses espèces de noyers du pays. Les emplacements de poteaux découverts sur quelques-uns de leurs sites d'habitation révèlent que certains habitants des régions forestières construisaient des maisons assez complexes, et formaient des populations nettement plus sédentaires que les tribus du désert ou des plaines. En outre, les énormes amas de coquillages d'eau douce que l'on a trouvés dans les États du Kentucky et du Tennessee démontrent qu'il s'agissait de populations non seulement beaucoup plus sédentaires, mais aussi plus nombreuses.

A mesure que ces peuples fourrageurs se multipliaient et se sédentarisaient, ils développaient toujours davantage des outils et des techniques spécialisées. La plupart des habitants de la forêt utilisaient une large gamme de matériels spécifiques : haches, forets, gouges et autres outils faits de pierre polie ou d'éclats taillés, d'hameçons, de harpons, de filets (tant pour le gibier que pour la sauvagine ou le poisson). Ils connaissaient également l'usage du pilon et du mortier pour moudre les graines comestibles. Mais certains fourrageurs faisaient preuve d'une imagination encore plus fertile, inventant un équipement entièrement nouveau ainsi que des procédés inédits qui devaient jouer des rôles clés dans la vie des futures générations d'Indiens.

Dans une région limitée, située juste à l'ouest des Grands Lacs, l'usage du métal apparaissait. Les outils et les objets de parure étaient martelés dans des pépites de cuivre pur, découvert à proximité, à fleur du sol. Ce travail du métal commença voici 5 000 ans, et il semble que ce fut le premier témoignage de ce genre au Nouveau Monde. Cette technique est plus ancienne que la fonte de l'or et de l'argent des civilisations d'Amérique centrale. Cependant, bien que les articles ainsi produits fussent très bien conçus et devinssent d'importants objets d'échange dans le commerce que les Indiens pratiquaient à longue distance, les techniques des forgerons des Grands Lacs restaient rudimentaires. Ces artisans du cuivre n'apprirent jamais à couler le métal comme le pratiquer plus tard les peuples du Mexique et d'autres civilisations indiennes. Ils ne savaient pas davantage fondre le cuivre ni traiter chimiquement le minerai pour en dégager le métal pur. L'artisanat de ces pionniers resta confiné à l'étroite région où des pépites de métal pur se trouvaient dans la nature, prêtes à être utilisées à l'état brut.

L'ensemble des régions qui s'étendent à l'ouest des Grands Lacs, c'est-à-dire les grandes forêts épaisses du Nord qui vont du Wisconsin au Minnesota et jusqu'au Canada, a pu être le lieu d'origine de l'une des découvertes indiennes les plus importantes : le canoë en écorce de bouleau. Il est certain que cette invention a dû être particulièrement utile aux populations locales. Le pays est en effet parsemé de milliers de lacs et d'étangs reliés par tout un réseau de torrents et de rivières, mais séparés par des étendues de terre ferme interrompant les communications par eau. Seul ce type d'embarcation légère permet à la fois une navigation en eau peu profonde et un portage aisé de l'esquif d'une rivière à l'autre. Une fois disponible, le canoë d'écorce ouvrit à l'homme le chemin des grandes forêts du Nord jusque-là impénétrables. Le réseau de lacs et de cours d'eau de cette région se convertit ainsi en voies commerciales.

Le long de la côte atlantique, une autre ressource alimentaire, le poisson, stimula l'imagination des Indiens. Ici le poisson n'était pas seulement capturé à l'hameçon ou au filet; on pouvait aussi le prendre au piège et apparemment en très grandes quantités. Voici soixante ans, au cours de travaux de terrassement effectués à Boston, on a découvert une sorte d'énorme barrage à poissons que l'on a daté de 2 000 ans avant J.-C. La surface délimitée couvre un hectare de ce qui était à l'époque un lagon peu profond. Sa réalisation aurait exigé la plantation de 65 000 pieux qui furent aiguisés à la hache de pierre, enfoncés dans le sol sur une double rangée et reliés par des branches entrelacées. Ce travail considérable laisse supposer qu'il s'agissait d'un ouvrage permanent et non temporaire, ni même saisonnier. Ce barrage évoque plutôt une population sédentaire assez nombreuse et suffisamment organisée pour avoir su construire et utiliser une telle installation.

Cependant, les Indiens fourrageurs les plus riches et à la civilisation la plus avancée ne se trouvaient ni sur la côte atlantique ni dans les forêts orientales, ni même dans la généreuse Californie centrale, mais le long de la côte nord-ouest du Pacifique. Là, sur une bande côtière de 3 000 km, de l'Alaska jusqu'à la Colombie britannique, l'État de Washington, l'Oregon et l'extrémité nord de la Californie, se développa une culture exceptionnelle que l'on peut qualifier de très avancée en dépit de l'absence d'agriculture proprement dite. Les ressources alimentaires, spécialement celles que procuraient l'océan et les rivières, étaient d'une abondance telle que les habitants de la région pouvaient subvenir à leurs besoins en collectant et en fourrageant sur le seuil même de leurs portes.

Les extraordinaires richesses naturelles permirent non seulement l'établissement de villages permanents, mais elles créèrent une nécessité positive pour ce genre de vie; comme le fit sèchement observer un anthropologue, « le plus large groupe familial répugne à continuer un mode de vie nomade, alors qu'il a en réserve une demi-tonne de saumons séchés. » Le fait que 500 kg de saumons, provisions qui suffisaient à faire vivre un groupe important pendant plusieurs mois, pouvaient être capturés et traités en deux semaines seulement de travail intensif implique également que ces peuples devenaient libres de se consacrer à des activités extra-alimentaires. Il en résulta une prolifération d'arts, de techniques, de cérémonies et de pratiques rituelles d'une force et d'une complexité qu'aucune vieille civilisation d'Amérique du Nord n'a jamais dépassée.

Cette remarquable culture de fourragement et de collecte prospéra sur la côte nord-ouest grâce à l'existence d'un milieu naturel exceptionnellement riche. D'est en ouest, entre l'océan Pacifique, d'une part, les chaînes côtières de la Colombie britannique, les monts Cascades de l'État de Washington et de l'Oregon, de l'autre, cette région dépasse rarement quelque 150 km de large. L'océan, dont les eaux sont réchauffées par le courant du Japon, humidifie et adoucit les vents dominants qui soufflent à l'ouest, tandis que même en hiver les hautes montagnes bloquent la plus grande partie de l'air froid continental venu de l'est et, simultanément, cela concourt aux précipitations : lorsque les vents humides soufflent de l'océan et frappent les montagnes, les courants d'air se refroidissent, si bien que leur humidité se condense en pluie. Ainsi, une abondante végétation verdoyante recouvre le versant ouest des montagnes alors que sur le versant est commence le désert.

Aux époques préhistoriques, toute la région était couverte d'épaisses forêts; aujourd'hui encore, certaines parties du détroit de Puget (sur la côte du Pacifique, près de Seattle) conservent l'une des quelques forêts humides de régions tempérées existant au monde : là, le sous-bois très touffu est dominé par de hautes futaies de sapins, de pins et de cèdres atteignant de 50 à 70 m, le géant de ces forêts étant le sapin de Douglas, arbre majestueux qui peut dépasser 80 m. Sur les bordures de cette forêt toujours verte et quasi impénétrable, on trouvait en assez grand nombre le gros gibier : cerfs, élans et plusieurs espèces d'ours, tandis que sur les hauts versants vivait la faune de montagne, mouflons et chamois.

Mais c'était l'océan qui représentait de loin les ressources naturelles les plus riches. On y rencontrait la baleine, la tortue, le phoque, l'otarie, la loutre de mer, un poisson pleuronecte, ou flétan, pesant un quart de tonne, un esturgeon deux fois plus gros, des bancs de harengs et d'éperlans, et enfin l'extraordinaire salmonidé du Pacifique, le quinat *(Thaleichtys pacificus)*, qui est si riche en huile que, si l'on passe une ficelle dans le corps d'un de ces poissons séchés, celle-ci se transforme en mèche combustible. Les marées apportaient les énormes palourdes géantes *(Panope generosa)* pesant 3 kg, dont une demi-douzaine suffisait au repas de toute une famille. Enfin, au printemps et en automne, des nuages d'oiseaux migrateurs stimulaient l'ingéniosité des chasseurs.

Mais les cours d'eau offraient des ressources encore plus considérables. Sept fois par an, le saumon remontait les rivières pour frayer, et ce poisson d'argent peuplait les cours d'eau en si grand nombre qu'il pouvait être harponné, pris au filet ou piégé par tonnes; les Indiens le séchaient alors ou le fumaient pour consommer plus tard. Il est évident qu'aucun peuple qui avait appris à exploiter de telles ressources naturelles ne pouvait craindre la faim, même au cœur de l'hiver.

La nature des richesses alimentaires de la région fit que ses habitants peuplaient principalement la côte et menaient une vie orientée vers la mer; ce genre d'existence était encore renforcé, dans la plupart des cas, par la topographie du pays lui-même. Au nord du détroit de Puget, les montagnes s'élèvent à pic au-dessus de la côte, et le rivage est découpé en fjords profonds creusés par les glaciers de l'âge de glace et dont les restes coulent encore des sommets au XXe siècle. La côte est parsemée d'îles dont la dimension va de celle d'un rocher à celle de l'île de Vancouver qui dépasse 400 km de long. Dans un tel pays, voyager sur la terre ferme pendant plus de quelques kilomètres restait toujours difficile et, souvent, matériellement impossible; à l'aide de bateaux, cependant, les hommes pouvaient se déplacer à l'aise et jouir d'une sécurité relative en naviguant dans les bras de mer abrités, tout en exploitant les ressources de la vie marine.

Les plus anciens habitants de ce paradis terrestre vécurent voici 8 000 ans à l'embouchure du fleuve Columbia, entre les États de Washington et de l'Oregon, et également à l'embouchure de la Fraser, en Colombie britannique où ces peuples chassaient le phoque et divers gibiers terrestres. Mais ce fut seulement aux alentours de l'an 1 000 avant notre ère que cette vie extraordinaire, particulière à la côte nord-ouest des États-Unis, s'établit définitivement. Cette civilisation se développa parmi des peuples qui semblent avoir été apparentés aux anciens Esquimaux, lesquels descendaient d'arrivants relativement récents en provenance d'Asie et possédaient à peu près à la même époque une culture de chasse maritime caractéristique du Grand Nord.

La preuve de cette parenté tient à la fois à l'anatomie et aux mœurs. Lorsque, au XIXe siècle, on étudia les Indiens de la côte nord-ouest pour la première fois, on découvrit qu'ils possédaient davantage que les autres Indiens un trait appelé le « pli mongoloïde » qui fait que les yeux semblent fendus à l'orientale. Cette particularité évoquait une infusion possible de gènes mongoloïdes en provenance des anciens Esquimaux et Aléoutes. En outre, les objets façonnés découverts sur la côte, et que l'on a datés d'environ 1 000 ans avant notre ère, comprennent certains outils typiquement esquimaux, comme des couteaux en forme de faucille, de pierres polies, des harpons barbelés dont la pointe pivotante à cran empêche l'arme de sortir du corps de l'animal blessé.

Mais, en dépit des liens qui les rattachaient aux anciens Esquimaux, les Indiens du Nord-Ouest développèrent un genre de vie qui leur était propre. Sa grande richesse provenait de la générosité du milieu qui procurait aux habitants non seulement une nourriture surabondante, mais également toute une gamme de matières premières pour tous usages utilitaires ou culturels.

Tissage et art abstrait

L'un des articles convoités qui s'échangeaient chez les Indiens de la côte nord-ouest au cours de la cérémonie rituelle du potlatch où se distribuaient les cadeaux était la couverture Chilkat, vêtement de cérémonie à franges, portant la crête de l'animal totem de son propriétaire — ici un oiseau.

C'est un tissage complexe de laines de chèvre des montagnes et de fibres d'écorce de cèdre; le motif abstrait évoque Picasso et Braque. Comme les peintures cubistes, le dessin reproduit plusieurs perspectives : l'animal apparaît comme coupé en deux par le milieu et étendu à plat pour donner une vue générale; certains éléments figurent deux fois. Ainsi, on peut voir deux paires d'yeux d'oiseau en haut au milieu; le motif au centre qui ressemble à un visage, c'est le corps; les symboles de deux paires d'yeux de chaque côté sont les ailes; quant aux pattes munies de griffes, elles sont visibles en bas.

Dans un pays aussi boisé, le matériau principal restait le bois et avant tout le cèdre et le genévrier qui, bien que durables, étaient assez tendres pour être aisément travaillés avec des hachettes ou des ciseaux de pierre ou d'os. Les madriers, les planches taillées à la main, les rondins et la fibre d'écorce écrasée, tout cela se transformait en fabrications appréciées d'une société avide de biens matériels.

Les troncs de cèdre, travaillés au feu ou à l'aide d'herminettes, pouvaient être creusés en forme de canoë après avoir été à demi remplis d'eau chaude pour amollir le bois. Ces embarcations étaient fabriquées en diverses dimensions : les plus petites étaient utilisées pour naviguer sur les torrents, un modèle plus large servait à la pêche (certaines tribus chassaient la baleine) et, enfin, les plus grands canoës qui atteignaient 20 m de long étaient des barques de guerre ou de cérémonie. Les troncs de cèdres fournirent également à ces Indiens la matière première d'un art célèbre, les portiques totem. Sculptés de figures d'hommes, d'animaux et de créatures imaginaires, ces mâts totem étaient dressés en hommage à la mémoire de chefs défunts, pour marquer l'emplacement des tombes de grands personnages; enfin, un porche était découpé à la base et le totem se dressait comme un portail au seuil des habitations.

Le bois de cèdre était également utilisé dans la construction des maisons : les troncs étaient découpés en planches à l'aide de coins de bois dur ou d'andouillers de cerfs enfoncés dans la masse. Ces planches étaient alors taillées en biseaux ou encochées de telle manière qu'elles pouvaient être assemblées sans chevilles. Ainsi s'élevaient des habitations rectangulaires de quelque 20 m sur 15 de large dont le toit à pignons reposait sur d'énormes poutres de cèdre, elles-mêmes soutenues par des piliers de cèdre massifs. Bien que la plupart de ces bâtiments fussent conçus pour être des habitats permanents, d'autres maisons, de par la construction par emboîtage sans chevilles, pouvaient être facilement démontées à la convenance de leurs propriétaires. Ce genre de maisons préfabriquées se rencontrait fréquemment dans les villages indiens de la côte nord-ouest, où les populations conservaient habituellement des établissements sur plusieurs sites de pêche aux diverses saisons de l'année. Sur chaque site, ils élevaient l'ossature de bois d'une maison et, lorsque l'époque de la migration arrivait, ils se contentaient de démonter les planches du toit et des murs pour les réassembler sur l'ossature prête sur le nouveau site où ils émigraient.

Les planches de cèdre permettaient même la fabrication de coffres où les Indiens rangeaient leurs biens domestiques les plus précieux. La construction était ingénieuse : une planche était découpée à la forme du fond, puis échancrée de manière à permettre l'assemblage des côtés qui étaient alors chevillés ou liés ensemble. Munis de couvercles, polis grâce à un abrasif de sable ou une peau de requin, habituellement peints ou sculptés de motifs complexes, ces coffres renfermaient des objets de toutes sortes : réserve d'huile de baleine, de phoque ou de cordages faits de boyaux, ou réserve de pointes de flèches.

C'était encore en bois de cèdre que les Indiens sculptaient les masques de cérémonie. Des représentations conventionnelles et pourtant vivantes servaient à figurer hommes et bêtes et ces masques étaient munis de pièces et de lanières de cuir grâce auxquelles la boucle s'ouvrait, révélant à l'intérieur la présence d'un second masque.

L'écorce de cèdre servait également à de multiples usages. Ses fibres solides étaient tissées en couverture, en tentures pour les murs et en tapis de sol; on fabriquait en fibre des paniers à claire-voie pour le transport du poisson et même des récipients tressés si serrés qu'ils retenaient l'eau.

Bien que le bois constituât la matière première essentielle, les Indiens en utilisaient d'autres avec ingéniosité : des brins de varech, par exemple, étaient tressés en lignes de pêche, tandis que les cornes de mouflons étaient sculptées en forme de cuillères ou déroulées à la vapeur pour fabriquer des récipients à boire.

Comme tant d'autres peuples prospères, les Indiens du Nord-Ouest devinrent finalement obsédés par leurs propres richesses. Ils portèrent les dépenses ostentatoires à un niveau extrême, rarement atteint ailleurs. Au cours d'une cérémonie spectaculaire que l'on appelle le potlatch (il s'agit de réjouissances coûteuses qui rappellent certaines réceptions modernes extravagantes), ces peuples gaspillaient d'énormes quantités de richesses afin de cimenter les alliances ou de démontrer leur propre importance sociale.

Le gardien des richesses de la communauté était le Grand Chef qui, à l'occasion des cérémonies, en distribuait le surplus à toute une assemblée d'hôtes de marque. Les récipiendaires étaient tenus de partager ces cadeaux avec leur suite, et ils devaient un jour rendre la politesse en donnant une cérémonie similaire avec cadeaux appropriés de valeur égale. La distribution aux bénéficiaires était rigoureusement codifiée suivant les relations de famille basées sur les groupes tribaux, ou moiéties *(pages 72-74)*, au sein desquels le mariage était interdit. Les Indiens donnaient un potlatch en l'honneur d'un groupe ami mais non parent, ou pour un groupe apparenté à la femme du chef, mais non pour les membres de la propre moiétie de ce dernier.

Le but essentiel d'un potlatch était semblable à celui des dépenses ostentatoires dans une société moderne. D'abord, ces cérémonies accroissaient le prestige de la communauté dirigée par ce chef et, de plus, elles rehaussaient, en la confirmant, l'importance sociale du chef en personne. Les occasions de pratiquer ce genre d'exhibition dispendieuse ne manquaient pas. L'héritier du Grand Chef d'une tribu devait justifier sa position en donnant un potlatch, ou encore un chef pouvait célébrer ainsi la majorité de son fils aîné ; le potlatch commémorait également la mort d'un autre chef aussi bien que l'inauguration de la nouvelle maison d'un grand personnage.

Aux époques préhistoriques, les potlatches constituaient généralement des cérémonies au cours desquelles étaient distribués de riches cadeaux, distribution qui avait pour but de renforcer le prestige du donateur. Mais, lorsque ces peuples arrivèrent au contact des Européens, la société traditionnelle fut démantelée ; alors qu'auparavant les rangs hiérarchiques étaient plus ou moins rigides, désormais les potlatches tendirent à se transformer en compétitions acharnées de puissance entre les divers chefs ou même entre personnages inférieurs, mais riches, qui aspiraient aux positions supérieures par ambition personnelle. Les cadeaux devinrent effroyablement

dispendieux. On vit des cas où un homme s'efforçait d'en humilier d'autres en détruisant ostensiblement des biens de valeur, ce qui prouvait la richesse illimitée de l'hôte. Cette extravagance indienne rappelle le comportement de l'Américain moderne qui allume son cigare avec des billets de banque de 10 dollars. Cette frénésie de destruction ne se limitait pas nécessairement à des biens purement matériels. En étalant sa richesse sous les yeux d'un rival, l'Indien qui donnait un potlatch sacrifiait parfois plusieurs esclaves : sur son ordre, ces hommes étaient battus à mort avec un gourdin spécial appelé « massue à esclaves », après quoi les corps étaient utilisés comme rouleaux pour hisser sur la plage le canoë de l'hôte. Avant que le potlatch ne dégénérât de cette manière, des explorateurs du XVIIIe siècle eurent l'occasion d'assister à des cérémonies qui avaient conservé leur esprit communautaire original. En se basant sur leurs récits, nous pouvons reconstituer le déroulement d'un potlatch aux environs des années 1400 à 1500 de notre ère, c'est-à-dire lorsque les Indiens du Nord-Ouest étaient parvenus au faîte de leur puissance.

L'esprit animateur et le personnage principal du plus fameux potlatch de la saison est le Grand Chef d'un groupe de villages insulaires situés au sud de ce qui sera plus tard Juneau, en Alaska. L'occasion à fêter est l'érection d'un portique totem devant la nouvelle demeure du chef ; il s'agit d'un mât totem de 4 m de haut et de 1,20 m de large, complètement recouvert de personnages peints ou sculptés évoquant les ancêtres du maître de maison, son haut rang et ses titres : des formes humaines en posture accroupie et aux yeux brillants, un épaulard stylisé et, au-dessus d'eux, l'image d'un aigle féroce. La partie inférieure du totem est percée d'un large trou elliptique qui constituera l'entrée principale de la maison après l'érection du totem.

Le porche totem et la maison qu'il ornera représentent les dons des invités du potlatch, c'est-à-dire les parents par alliance du chef, les membres de la moiétie de sa femme, tous donateurs qui seront récompensés par la cérémonie. Au cours des mois qu'ils ont passés à abattre et à débiter les arbres, à sculpter et à bâtir, le chef et sa

Famille et matriarcat

La plupart des sociétés indiennes étaient organisées d'après de strictes règles de parenté, qui devinrent encore plus complexes lorsque ces peuples commencèrent à s'adonner à la collecte ou à l'agriculture, et adoptèrent un mode de vie plus sédentaire. On peut s'en rendre compte dans la structure tribale *(ci-dessous)* et dans les règles de mariage *(au verso)* que pratiquaient les riches Indiens Tlingits sur la côte nord-ouest du Pacifique.

L'unité sociale de base n'était pas le noyau familial que nous connaissons aujourd'hui dans les pays modernes d'Europe ou d'Amérique; c'était la lignée

Lignée

Clan

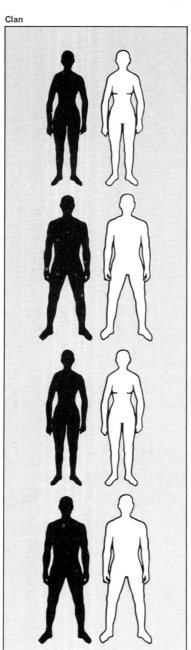

Moiétie

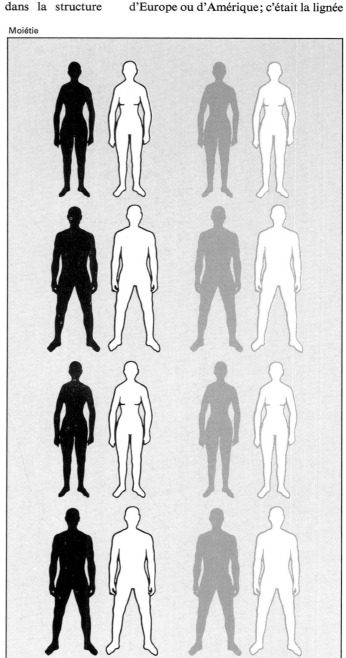

Le noyau unitaire d'une tribu, lien de parenté matriarcal appelée lignée, est représenté ici à gauche. L'union de deux lignées d'une même descendance

maternelle qui comprenait la mère, ses enfants, ses frères, ses sœurs et les enfants de celles-ci. Dans la famille Tlingit, la lignée mâle était distincte et comprenait le mari, ses frères, ses sœurs et les enfants de ses sœurs.

Deux ou plusieurs lignées composaient le clan dont les membres étaient liés par la croyance commune à un même ancêtre. Les clans étaient identifiés par un symbole totémique, souvent un animal. Un groupe de clans composait une « moiétie ». Deux moiéties, respectivement appelées « corbeau » et « loup », sans doute d'après les noms de clans, constituaient la tribu Tlingit elle-même.

La lignée maternelle conférait automatiquement des droits et des privilèges à ses membres : chaque Tlingit savait ainsi qui il était du point de vue social, où il pouvait pêcher, quels étaient ses symboles totémiques, où il pouvait vivre, et surtout quelles personnes il avait le droit d'épouser.

Tribu

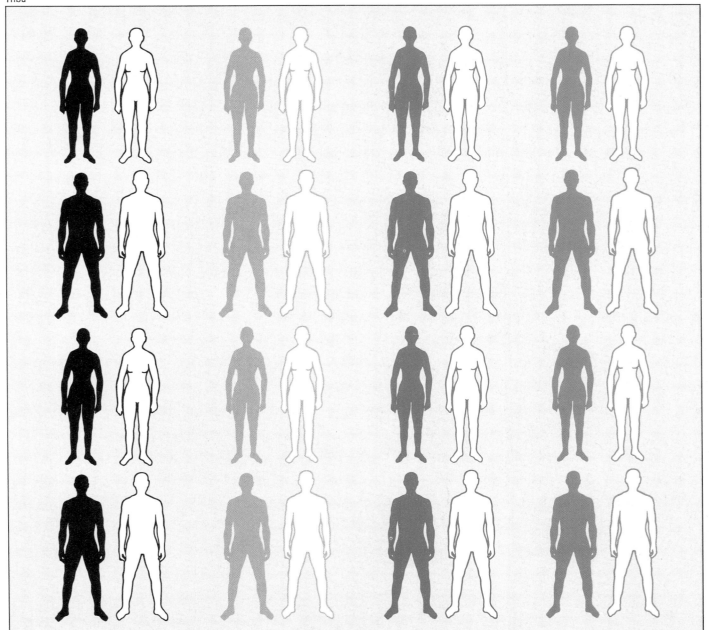

devient un clan (second cadre). Deux ou plusieurs clans constituent une moiétie (troisième cadre) ; deux moiéties composent une tribu (ci-dessus).

Règles de parenté croisée paternelle et maternelle

Dans la société complexe des Indiens Tlingits, les règles de mariage entre individus étaient dictés par leur « moiétie »; ce lien familial dépendait de la lignée et du clan de la mère *(page précédente)*. Tout mariage entre les membres d'une même moiétie — c'est-à-dire un « Corbeau » avec un « Corbeau » et un « Loup » avec un « Loup » — était prohibé; et même, pour éviter d'éventuelles idylles entre garçons et filles d'une même moiétie, ceux-ci n'avaient pas le droit de s'adresser la parole, même s'ils étaient cousins.

Mais les mariages autorisés chez les Tlingits, c'est-à-dire qui concernaient des individus Corbeau, d'une part, et Loup, de l'autre, permettaient des unions entre couples qui étaient parents par le sang. C'est ce que l'on a appelé des « cousins par croisement » : le père de l'un est parent de la mère de l'autre *(voir le diagramme ci-dessous)*.

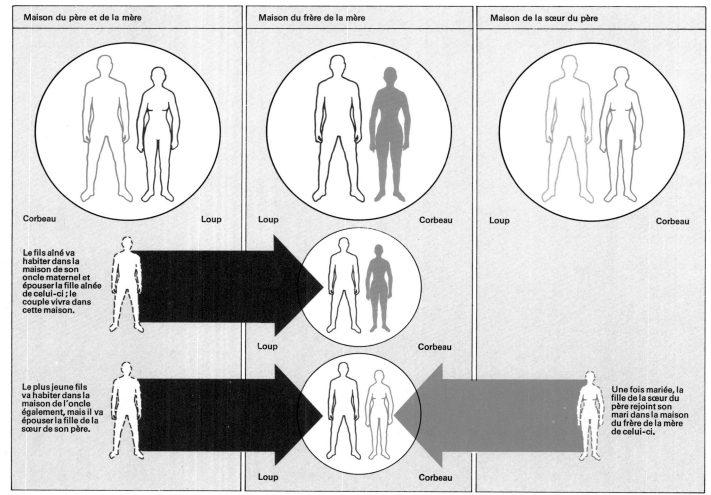

Maison du père et de la mère

Corbeau — Loup

Le fils aîné va habiter dans la maison de son oncle maternel et épouser la fille aînée de celui-ci ; le couple vivra dans cette maison.

Le plus jeune fils va habiter dans la maison de l'oncle également, mais il va épouser la fille de la sœur de son père.

Maison du frère de la mère

Loup — Corbeau

Loup — Corbeau

Loup — Corbeau

Maison de la sœur du père

Loup — Corbeau

Une fois mariée, la fille de la sœur du père rejoint son mari dans la maison du frère de la mère de celui-ci.

Voici comment les Tlingits réalisent les « unions croisées » entre les enfants de trois couples (grands cercles), tout en évitant qu'un mariage ait lieu entre membres d'une même « moiétie ». Sur ce schéma, chaque individu est figuré dans la couleur qui symbolise sa « moiétie », Corbeau ou Loup. A l'âge de dix ans, les garçons (personnages en pointillé rouge) quittent la maison de leurs parents pour aller vivre dans la famille du frère de leur mère (flèches rouges). Devenu adulte, l'aîné des garçons épouse la fille aînée de la maison (personnage en vert). A son tour, le plus jeune des garçons épouse la fille de la sœur de son père (personnage en pointillé bleu). Puisque c'est la lignée maternelle qui compte, les garçons appartiennent à la moiétie du Loup, et les filles à la moiétie du Corbeau.

propre moiétie ont logé et nourri les travailleurs et leurs familles. Maintenant, c'est le chef et sa suite qui doivent fournir l'énorme quantité de nourriture pour la fête qui précédera la distribution des cadeaux. Même l'Indien le plus modeste apporte sa contribution au mieux de ses moyens, car il sait qu'il recevra sa part dans la distribution des présents le jour où son chef sera l'hôte récipiendaire, lors d'un autre potlatch donné en son honneur. A mesure que cette richesse s'accumule, les allées et venues augmentent entre le village du chef et ses voisins, et des canoës lourdement chargés transportent des coffres pleins de saumons séchés et d'huile de poisson, de couvertures et de robes de fourrure, de massues de guerre richement sculptées et divers récipients ornés. Contemplant ce débordement d'activité, les enfants des villages ramassent des coquillages, du bois mort, et peut-être une peau de lapin ou deux, s'amusant à donner eux-mêmes un simulacre enfantin potlatch.

Voici venu le jour de la cérémonie : les hôtes de marque arrivent couverts de vêtements somptueux et richement décorés. Certains portent des couvertures à franges complètement recouvertes de motifs aux couleurs complexes, symbolisant des animaux, des oiseaux et des créatures marines. D'autres se sont drapés dans des fourrures de loutres de mer, de marmottes ou d'ours bruns. Autour du cou, de nombreux invités portent des colliers de coquilles de dentalium, mollusque en forme de défense. Les invités sont venus de leur village dans des pirogues de cérémonie, longues de quelque 15 m et dont la proue et la poupe s'ornent de peintures et de sculptures. Abordant sur la plage devant la maison neuve de leur hôte, les visiteurs sont accueillis par les membres les moins importants de la communauté qui leur offrent de la nourriture, des manteaux et des chapeaux coniques de fibres d'écorce de cèdre tissées, afin de les protéger de la fraîcheur de la brume matinale.

A midi, l'hôte lui-même et sa femme font leur apparition. Ce sont des personnages splendides. Le chef est drapé dans une couverture à franges que sa femme a spécialement tissée à ses marques personnelles. On y voit un aigle représenté comme s'il avait été coupé en deux parties, de sorte que les deux morceaux qui se rejoignent dans le dos apparaissent en profil (page 69). Le chef arbore une coiffure élaborée, surmontée d'une sculpture de visage humain aux yeux en ormeaux et dont la queue est bordée d'hermine. L'épouse du chef est moins richement parée mais élégamment vêtue d'une robe de vison bordée de martre. Les hôtes s'avancent de la plage, dépassent le portique totem qui gît encore sur le sol et s'approchent du trou profond creusé devant la maison pour ses fondations. Le chef accueille ses invités avec des phrases traditionnelles, puis il fait signe à son plus jeune frère qui donne le signal de l'érection du totem. Tous les parents du chef se précipitent en hurlant et hissent le portail massif en position. Tandis que certains calent la construction, d'autres tassent la terre autour de la base, pilonnant fortement le sol avec des madriers.

Lorsque le totem est solidement planté, le chef prie ses invités de franchir la porte percée dans sa base et tous pénètrent dans la maison où des couvertures et des tapis ont été disposés autour du foyer central. Les claies de bois qui, suspendues habituellement au plafond, servent à sécher les saumons, ont été enlevées, et aux crochets pendent des couvertures décorées et de riches vêtements de fourrure que les invités emporteront. Sur le sol s'entassent des piles de présents coûteux, comprenant des plats, des bols de bois richement sculptés, des colliers de coquilles de dentalium, des casques de bois, des armures de plaques de bois assemblées, enfin des coffres et paniers débordant de saumons fumés, de graines, d'algues marines et d'autres mets de choix.

Mais la fête doit se dérouler avant que ces richesses ne soient distribuées. Les femmes apportent sur des plateaux la nourriture rare et succulente : saumon fumé accompagné de bols d'un breuvage à base de graisse de phoque, gibier d'eau et poissons d'eau douce rôtis à la broche, quartiers d'ours et de gibier, bols remplis de baies, les unes fraîches, les autres conservées dans de l'huile de saumon rance; pieuvres et halibuts bouillis dans des boîtes de bois, et, suprême délicatesse alimentaire, des œufs de saumons pourris ainsi que des têtes d'halibuts. Bien que les invités se précipitent sans vergogne sur tous les morceaux à leur portée, les plats sont si bien garnis qu'ils ne peuvent en venir à bout; les restes du festin leur seront distribués au moment du départ.

Comme ce repas pantagruélique se termine au milieu de murmures d'appréciations polies, l'hôte se dresse lourdement sur ses pieds. D'un ton chantant, il récite la liste de ses noms et titres, les exploits de ses ancêtres et ses propres prouesses comme chasseur, guerrier et organisateur de potlatch. Sur un signe, un esclave verse de l'huile de saumon sur le feu, tandis que l'homme explique qu'il craint que ses invités ne prennent froid. Comme les flammes redoublent d'intensité, les assistants les plus proches doivent déplacer leur siège pour ne pas être brûlés, et le chef se rengorge d'avoir, par ce subtil stratagème, obligé d'autres chefs à reculer devant lui, soulignant ainsi son propre prestige.

Enfin se déroule la distribution des présents que chaque invité reçoit à son tour suivant l'importance de son rang. Les plus riches de ces dons sont constitués par des couvertures de fibres d'écorce de cèdre tissées avec des fils de laine fine de chèvre de montagne; certaines sont de couleur naturelle blanche, d'autres teintes en noir, en bleu ou en jaune pour former des dessins géométriques ou représenter des animaux stylisés. Le tissage de chaque couverture exécuté par les femmes a nécessité des mois de travail. Plusieurs des plus belles pièces échoient à l'invité le plus important, qui reçoit également quatre robes de fourrure de loutre de mer, dix autres de martre et sept de peaux

d'ours. Les autres assistants de moindre importance se partageront les autres couvertures, c'est-à-dire 35 robes de vison et 50 de peaux de cerf. Le frère du chef supervise la distribution : il s'assure que chaque invité reçoit des présents exactement proportionnels à son rang. Toute erreur de protocole créerait un incident fâcheux qui ne saurait être effacé que par un autre potlatch organisé à titre de réparation.

Cette cérémonie se poursuit pendant deux ou trois jours; les banquets alternent avec les cérémonies religieuses, les danses succèdent aux distributions de cadeaux jusqu'à ce que la totalité de ceux-ci soit épuisée. L'année suivante, ou dans deux ans, un autre potlatch rendra la politesse; il sera donné aux frais de l'un des invités d'aujourd'hui ou de quelque autre chef indien de la côte.

Cette existence fastueuse des Indiens du Nord-Ouest se prolongea presque jusqu'au XXe siècle; certaines de leurs coutumes purent être photographiées *(pages 77-87)*. Cependant, dans d'autres régions de l'Amérique, dans les déserts par exemple, la vie de collecte continuait. Mais, partout ailleurs, longtemps avant l'arrivée des premiers Européens, les anciens Américains s'étaient lancés dans l'agriculture afin de faire vivre des populations de plus en plus nombreuses, des communautés plus sédentaires et des sociétés toujours plus complexes.

La vie heureuse du Nord-Ouest

Les anciens Américains les plus aisés furent les Indiens qui vécurent sur la fertile bande côtière s'étendant le long du Pacifique, de la Californie à l'Alaska. Se nourrissant facilement par la collecte des ressources naturelles, ces Indiens vivaient dans l'abondance sans subir les conditions du milieu. Ce mode de vie facile se prolongea jusqu'au début du XXᵉ siècle, époque à laquelle furent prises ces photographies.

La richesse engendra, chez une centaine de tribus de la région, à la fois le meilleur et le pire. Elle permit aux Indiens de se sédentariser et de jouir de loisirs. Ils disposaient de temps pour inventer des rites compliqués en l'honneur des divinités. Ils collectionnaient et décoraient des objets qu'ils transformaient en véritables œuvres d'art. Mais, malheureusement, l'excès de richesse les conduisit à une stratification sociale rigide, provoquant l'apparition de mœurs ostentatoires et, en fin de compte, un gaspillage délibéré.

Mariage chez les Kwakiutls, photographié aux environs de 1900 : les invités débarquent d'un canoë dont la figure de proue est un aigle sculpté et peint.

La vie assurée par les richesses des eaux

Sur le rivage de l'île de Graham, située au large de la Colombie britannique, les habitations, les mâts totem et les canoës des villageois Haidas sont tournés vers la source principale de richesse : l'eau. Les Haidas, réputés pour être les meilleurs sculpteurs de la côte du Pacifique, continuèrent jusqu'à la fin du XIXᵉ siècle à ériger des portiques totem devant leurs maisons. Cette coutume était une survivance de l'ancienne tradition qui consistait à décorer les portes d'un porche massif de bois de personnages sculptés.

Le Pacifique et les cours d'eau qui s'y jetaient représentaient les principales sources de richesse naturelle pour les Indiens de la côte nord-ouest qui avaient appris à en tirer le maximum. Ils complétaient le produit des collectes en chassant les grands animaux marins; ainsi, les Nootkas, qui vivaient dans l'île de Vancouver (Colombie britannique) et leurs voisins Makahs, dont le territoire se trouvait plus au sud (Cape Flattery),

se spécialisèrent dans la chasse à la baleine, art dans lequel ils parvenaient à égaler les prouesses des Esquimaux du Grand Nord.

De nombreuses tribus du Nord-Ouest, les Wishrams, les Kwakiutls et les Haidas, capturaient avec un succès non moins égal des animaux moins dangereux que les baleines ou les phoques. La vie marine sous ses multiples formes — petits mammifères, coquillages, saumons géants du

Pacifique, esturgeons — abondait partout, et le saumon pullulait. Remontant le courant des rivières à intervalles réguliers pour frayer dans les eaux douces et les lacs de l'intérieur où eux-mêmes avaient déjà éclos, les saumons constituaient des proies particulièrement aisées; les Indiens les capturaient avec des filets ou à coups de lances, ou occasionnellement d'un revers preste de la main nue.

Un chasseur de baleines Makah tient un harpon muni de flotteurs en peau de phoque.

Utilisant un filet profond, un Indien Wishram capture des saumons qui remontent le courant.

Un potlatch : noblesse oblige

Un chef Tlingit montre ici sa parure journalière : un collier de griffes d'ours grizzli, une couronne de cornes de chèvres de montagne polies, surmontées de touffes de duvet; un anneau pend de sa cloison nasale, et son visage est peint suivant les couleurs traditionnelles. Pour assister à un potlatch, l'homme se serait paré encore plus minutieusement.

Revêtus de leurs plus somptueux vêtements, ces invités de marque vont assister à un potlatch. Au premier plan, deux chefs Tlingit des villages voisins accomplissent un rite devant une effigie d'orque, avant que ne commence la distribution de cadeaux précieux. Leurs coiffures sont agrémentées de sculptures d'oiseaux. Par-dessus celles-ci, des cylindres de racines de sapins tissées indiquent le nombre de potlatchs donnés par chacun des chefs : celui de droite en a donné deux, celui de gauche sept.

Bien que tout membre adulte valide d'une tribu contribuât à l'accroissement des richesses, les principaux détenteurs de biens matériels restaient les chefs et les nobles. Mais ces privilégiés étaient obligés de distribuer au cours des potlatchs une partie de leurs avoirs (le mot *potlatch* provient d'un mot indien qui signifie « donner »).

Lorsqu'un chef décidait de tenir un potlatch, il distribuait une grande partie, et même parfois la totalité de ses possessions à ses invités ; il savait qu'au potlatch suivant, où il serait reçu à son tour, il récupérerait des valeurs égales. L'un des buts de cette distribution prodigue était d'impressionner les voisins importants : les donataires connaissaient ainsi la valeur de leur hôte. Celui-ci devait faire preuve d'une richesse inépuisable et d'une générosité sans égale en distribuant nourriture et présents. Si, à la différence du potlatch que nous représentons ci-dessous, la cérémonie était médiocre, les présents parcimonieux et la fête sordide, la position de l'hôte devenait difficile ; par contre, un potlatch spectaculaire et réussi assurait à son auteur la loyauté de ses subordonnés ainsi que l'alliance des chefs du voisinage.

Comment
se concilier
les esprits animaux

Conscients des bienfaits que la nature répandait sur eux, les Indiens du Nord-Ouest pratiquaient des rites religieux dont le but était d'assurer le maintien de ces dons. Ces peuples croyaient que les animaux avaient été créés spécialement pour nourrir l'homme. Pourtant, chaque animal possédait un esprit libre et immortel qui pouvait interrompre l'octroi des richesses, et frapper l'homme de maladie ou de mort. C'est pourquoi les pratiques religieuses adoptaient souvent la forme de cérémonies d'hommage, de louanges, et de pratiques diverses destinées à conserver à la tribu les bonnes grâces du monde animal.

Les chasseurs de baleines établissaient des contacts spirituels avec leurs proies par tout un rituel de bains, d'incantations, de jeûne, d'abstinence sexuelle et de périodes de contemplation dans des locaux spéciaux *(à droite)*. De même, les pêcheurs de saumons se sentaient obligés d'invoquer les poissons. Lorsque les saumons commençaient leur migration vers les zones de frayage, les Indiens pensaient que ces animaux se sacrifiaient d'eux-mêmes au profit de l'homme. En remerciement, la première prise de l'année était honorée de discours flatteurs et traitée comme un invité de potlatch. Les os et arêtes des prises suivantes, une fois débarrassées des chairs, étaient rejetés à la mer. Ainsi, pensaient les Indiens, de nouveaux poissons en naîtraient.

Ce monument sacré construit en planches servait aux Indiens Nootkas à communiquer avec les esprits des baleines. Des visages sculptés et les crânes des défunts étaient disposés autour de la hutte afin d'appeler les âmes des animaux et les supplier de ne pas se dérober mais, tout au contraire, de coopérer avec les chasseurs.

84

Utilisant les pouvoirs magiques que lui
ont octroyés les esprits, un chaman Tlingit
soigne rituellement une femme malade.
De la main droite, le sorcier agite une
sorte de crécelle sculptée en forme de
corbeau ; de l'autre, il tient un os creux
à travers lequel il va souffler pour chasser
la douleur hors du corps du patient.
Derrière lui, on voit une planchette sacrée,
rituellement décorée, qui aide le chaman
à communiquer avec les esprits.

Un jeune baleinier Nootka, drapé dans
une couverture tissée en fibres d'écorce
de cèdre, commence un long rituel de
méditation avant la chasse. L'homme est
déjà assez avancé dans ses pratiques
d'autodiscipline; il vient d'accéder au statut
d'adulte après des rites d'initiation qui
comportaient des jours de jeûne, des tests
d'endurance sous l'eau, et des veilles
solitaires durant lesquelles le néophyte
attendait l'apparition des mauvais esprits.

Voici une cérémonie Kwakiutl où le fils d'un chef va être initié et admis dans une société secrète, au cours d'un rituel dont l'horreur est savamment graduée. Les participants représentent des monstres costumés, comprenant des oiseaux dotés d'énormes becs articulés qui s'ouvrent en révélant à l'intérieur des masques effrayants. Les participants dansent sur une musique rythmée de crécelles et sifflets et de voix contrefaites. Jusqu'à une époque récente, ces rites étranges se déroulaient au cours des mois d'hiver, lorsque les Indiens croyaient que les esprits étaient plus proches et qu'ils pouvaient mieux communiquer avec eux.

Chapitre quatre :
Les conquérants du Grand Nord

La faim tenaille le chasseur. Pour les Esquimaux de ce village situé sur la côte nord de l'Alaska, l'automne a été difficile et l'hiver encore plus rude. Des tempêtes d'avant-saison ont chassé le caribou vers le sud avant l'époque habituelle. Puis, tout au long des mois d'hiver sans soleil, une succession presque ininterrompue de tempêtes a contrarié la chasse au phoque. Maintenant, en février, les habitants du village ont été contraints de puiser dans une des dernières réserves de viande et de graisse de baleine qu'ils avaient stockées l'été précédent au fond de puits creusés dans le sol glacé. Cependant, si la situation reste sérieuse, elle n'est pas aussi alarmante que l'hiver enduré cinq ans auparavant, époque où le chasseur et sa femme, à peine capables de se nourrir eux et leurs deux jeunes fils, furent obligés d'abandonner leur bébé nouveau-né sur la glace.

Mais, enfin, le mauvais temps a cessé et le chasseur et ses compagnons partent sur les étendues de la mer glacée où chacun chassera le phoque individuellement. Le chaman, ou sorcier du village, après avoir invoqué rituellement les esprits qui guident les phoques, a prédit d'heureux résultats de chasse.

Il est midi, et le soleil, bien qu'assez bas sur l'horizon, brille depuis deux heures. La température se maintient en moyenne à 30° en dessous de zéro, et l'Esquimau est habillé en conséquence. Par-dessus des sous-vêtements de peau d'eider tannée avec ses plumes, il a revêtu un équipement confortable : des pantalons et un parka en peau de caribou dont le côté fourrure est tourné vers l'intérieur ; par-dessus, il porte encore un costume similaire plus long et plus large dont le poil est tourné vers l'extérieur. La couche d'air qui se maintient entre les deux vêtements assure une isolation supplémentaire contre les morsures du froid. Le capuchon du vêtement extérieur est bordé de fourrure de glouton, seule espèce de poil qui

Portant un parka de peau de caribou dont le côté fourré, donc plus chaud, est en contact avec son corps, cet Esquimau de l'Alaska oriental a des yeux fendus en amande rappelant son type asiatique. Ce trait mongoloïde, quasi général parmi les Esquimaux modernes, mais inexistant chez les Indiens, suggère que les ancêtres des Esquimaux ont atteint le Nouveau Monde à une époque plus récente, alors que ce caractère physique était déjà apparu en Sibérie orientale.

ne gélera pas sous l'humidité du souffle de l'homme. Les bottes de peau sont aussi doublées et bordées de mousse afin que l'intérieur reste sec. Sous son parka du dessus, le chasseur porte un sac de viande de phoque bouillie mélangée de graisse et un second sac fourré qui contient de la neige fondue comme eau de boisson (en effet, l'Esquimau ne fera pas fondre de neige sur son corps car cela absorberait une chaleur qu'il ne peut se permettre de gaspiller). Derrière lui, l'homme remorque son matériel de chasse sur un traîneau fait de morceaux de bois mort (il n'a jamais vu d'arbre) qui sont liés par des courroies et garnis par en dessous de patins d'ivoire.

Bien qu'il soit en marche depuis plusieurs heures, le chasseur n'a franchi que quelques kilomètres depuis son départ du village. La glace est rugueuse, le vent et les courants ont accumulé des congères glacées que le traîneau doit franchir à grand effort de muscles. Enfin, l'Esquimau atteint une étendue relativement unie et il se met à scruter le sol avec soin, recherchant sur la glace les traces qui indiqueront qu'un phoque est venu prendre l'air par un « orifice de respiration » ; en effet, ce mammifère marin doit venir à la surface tous les quarts d'heure renouveler sa provision d'air frais. Le chasseur sort un pic à glace, fait d'une solide lame de silex montée sur un manche en bois de caribou, et il élargit le trou ; puis il essuie avec un morceau de peau les éclats de glace sur les bords du trou afin que celui-ci ne gèle pas à nouveau. Ensuite, il creuse quatre petits trous autour de l'orifice de respiration et il laisse filer un solide filet formé de fanons de baleine auquel il attache des « indicateurs », petits morceaux d'ivoire. Enfin il fixe les quatre coins du filet aux petits trous qu'il vient de creuser et laisse le filet pendre dans l'eau glacée sous l'orifice de respiration. Les bords du filet sont suffisamment enfoncés sous la glace pour que le phoque puisse nager librement jusqu'à l'orifice ; l'animal, après avoir respiré, plongera, et c'est alors seulement qu'il se prendra dans le filet qui se trouve dans l'eau à la verticale du trou.

Comme le phoque utilise plusieurs orifices de respiration, il se peut qu'il boude celui-ci en particulier pendant quelque temps ; le chasseur monte une petite tente de peau sous laquelle il s'installe pour attendre. Mais, dans l'espoir que l'animal se trouve à proximité, il tente de

Les Esquimaux chasseurs de phoques, comme celui-ci, qui s'est installé pour attendre, dans le froid glacial, devant un orifice de respiration, utilisent un matériel ingénieusement conçu et qui diffère sans doute assez peu des méthodes élaborées par leurs ancêtres lointains. En partant de gauche, on voit deux couteaux, l'un en bois, l'autre en os, au moyen desquels le chasseur taillera une murette de glace pour s'abriter du vent et pour s'asseoir ; une sorte de harnais pour hisser le phoque hors du trou ; une griffe de bois pour gratter la glace et imiter le son des griffes de phoques ; des « obturateurs », chevilles qui, enfoncées dans les blessures du phoque harponné, empêcheront ainsi le sang nourricier de se répandre.

l'attirer en grattant doucement la glace avec un os de baleine pointu qui imite le son des griffes d'un phoque grattant la glace. N'obtenant pas de résultat immédiat, l'homme se couche sous sa tente pour commencer sa longue attente.

Quelques heures plus tard, il entend un furieux tintement des indicateurs d'ivoire : un phoque s'est pris dans le filet. L'Esquimau hale le filet et tue l'animal d'un coup de lance. Alors, appliquant ses lèvres à la blessure, l'homme boit à longs traits le sang qui coule, premier aliment frais qu'il absorbe depuis des mois. Puis, il stoppe l'écoulement du précieux liquide *(page 90)*. Il tend à nouveau le filet dans le trou, et reprend sa garde. Une seconde fois durant la nuit la scène se répète et le chasseur fait une seconde prise. Il est temps alors d'amorcer le long voyage de retour. L'homme charge sur le traîneau toute la viande qu'il peut emporter. Il urine sur les patins d'ivoire du traîneau, et le liquide, en se congelant, permettra au véhicule de glisser plus aisément sur la glace en pleine charge. L'Esquimau démonte sa tente, et fixe sous ses bottes des crampons, lamelles d'ivoire sculptées à crans aigus qui ont pour but de l'aider dans son effort de traction sur la glace lisse.

Le retour au village, en traînant en remorque plusieurs centaines de livres de viande de phoque, est de loin plus exténuant que le trajet de l'aller. Mais le chasseur ne s'en soucie guère. Il rentre avec un butin abondant et son estomac est satisfait. Sous la lumière vacillante des aurores boréales, l'homme fredonne un chant de triomphe tout en remorquant son traîneau. Au lever du soleil, il marche directement face à la glace aveuglante, il revêt ses lunettes de neige, plaques d'ivoire percées de deux fentes étroites pour les yeux, qui lui éviteront l'éblouissement *(page 93)*. Arrivé à proximité du village, l'Esquimau apprend que les autres chasseurs qui s'étaient dispersés sur 30 km de glace n'ont pas été moins heureux; la communauté entière s'affaire à découper les carcasses gelées des phoques. Une heure plus tard, notre homme se repose dans sa cabane qui est chauffée par une lampe à graisse remarquablement efficace — c'est un disque creux de stéatite avec une mèche en mousse *(page 95)*. Nu jusqu'à la ceinture, l'Esquimau mâchonne un morceau de foie de phoque cru tandis que sa femme fait cuire une potée de ragoût de phoque sur un autre réchaud à graisse.

La cabane, comme la douzaine d'autres dont se compose le village, est creusée dans le sol; elle mesure 4 m² environ et a 1 m de profondeur; le toit est formé d'une couche de pierres tenues par des os de baleine et surmontées d'une couche de terre isolante (ces peuples ignorent l'igloo construit en blocs de neige qui caractérise l'habitat esquimau des régions situées plus à l'est.) On entre dans la cabane en descendant un couloir creusé plus bas que le plancher afin que l'air froid ne puisse entrer à l'intérieur; aucune porte, mais une tenture de peau qui est fixée hermétiquement sur l'orifice. Sur un côté du couloir d'accès, on trouve une petite chambre de réserve où l'on dépose les harpons et le reste du matériel. A l'intérieur de la hutte, les murs sont recouverts par les vêtements de rechange, les filets de peau contenant les pièges pour le petit gibier, et les outils destinés à travailler le silex et le cuir. Au fond de la hutte, une plate-forme sert de lit commun; toute la famille s'y étend confortablement sur des peaux de renard et d'ours polaire; les occupants dorment à moins d'un mètre du plafond, là où l'air chaud s'accumule.

Lorsque la famille s'est gorgée de nourriture et va dormir, le chasseur annonce qu'il se rend à la « maison des hommes. » Cette cabane est considérablement plus grande que les huttes familiales, mais sa construction s'inspire du même principe. C'est là que les hommes adultes du village passeront la semaine à manger, à dormir, à réparer leur matériel de chasse et à fabriquer de nouveaux ustensiles. Régulièrement, les femmes leur apporteront la nourriture; de temps à autre, les hommes interrompront leur travail pour un match de lutte ou un concours d'insultes : les Esquimaux s'efforcent de composer les chants les plus satiriques en se moquant les uns des autres, ce qui provoque un délire de joie des auditeurs. Ces compétitions sont à la fois un jeu et un exutoire. Les hommes, qui sont des partenaires de chasse et des amis, ont souvent, suivant la coutume, échangé leurs femmes une fois ou l'autre. Les concours d'insultes servent à liquider sans danger les tensions et l'agressivité qui s'accumulent dans une longue cohabitation durant les mois obscurs de l'hiver. D'autres distractions sont plus paisibles : chacun évoque le souvenir des grands chasseurs décédés ou les exploits du Corbeau, l'esprit tricheur. Ils regardent le chaman exécuter des tours de magie, par exemple faire sortir un gant de fourrure d'un tambourin vide.

Aussi longtemps que la chasse restera fructueuse, les hommes passeront la majorité de leurs loisirs des deux mois suivants dans la cabane qui leur sert de lieu de réunion ; ils en sortiront de temps à autre pour de nouvelles expéditions, soit de chasse au phoque, soit pour piéger le renard et le lièvre polaire ou, encore, lorsque le printemps aura amené les oiseaux migrateurs, pour commencer la collecte de leurs œufs.

A la fin du mois d'avril, le jour dure 19 heures ; un matin, un chasseur revient au village en annonçant qu'il a vu des baleines remontant vers le nord par les larges chenaux d'eau libre de la banquise. Immédiatement, une activité fébrile s'empare du village. La flottille se compose de quatre « oumiaks » — embarcations légères mais puissantes, barques non pontées qui sont faites de peaux tendues sur des membrures de bois fixées à l'aide de courroies. Les quatre « patrons » s'affairent à charger les canoës sur des traîneaux qu'ils remorquent jusqu'au rivage de glace. Sous l'action du long ensoleillement journalier et des fortes marées, la glace a fondu par endroits, et des bras de mer d'eau libre s'ouvrent à un ou deux kilomètres du village. Les bateliers chantent rituellement, invoquant la baleine en la suppliant de venir se faire prendre ; les hommes endossent leurs costumes imperméables faits de boyaux de morse séchés.

Bientôt, à quelques centaines de mètres de la côte, ils remarquent des jets d'eau caractéristiques, deux, puis six. D'après la dimension et la forme de ces colonnes de vapeur provoquées par la condensation du souffle des cétacés, les Esquimaux savent qu'il ne s'agit ni de petits bélugas, dont la taille ne dépasse pas 6 m, ni même de baleines grises, plus grosses, mais d'énormes baleines franches, énormes masses de viande et de graisse qui dépassent 20 m de long. Les canoës sont prestement et adroitement mis à l'eau ; sur chacun d'eux le propriétaire tient la barre et commande à six pagayeurs, tandis que le harponneur est assis à l'avant.

Mais voici que les baleines plongent. Les pagayeurs du canoë de tête redoublent d'effort tandis que le capitaine dirige l'embarcation vers l'endroit où il suppose que les animaux feront à nouveau surface. Le harponneur vérifie ses armes : des harpons emmanchés de 1,50 m de long, dont les pointes d'ivoire détachables sont armées de lames de pierres aiguës comme des rasoirs, des rouleaux de lignes en lanières de peau de morse sont fixés à la tête de chaque harpon ; enfin, à côté de l'homme, reposent des javelots de 2 m de long se terminant par des lames de silex de 15 cm. Soudain, à moins de 10 m du canoë, un énorme remous agite l'eau et la baleine souffle bruyamment, véritable soupir de géant. Avec précaution, l'équipage pagaie ; la proue du bateau pointe vers la bête tandis que le harponneur indique du bras au barreur la direction à suivre. Enfin, parvenu à 3 m du monstre, l'homme se dresse, saisit un harpon et le lance sur l'animal. Au moment où la tête de l'arme s'enfonce dans la peau, le manche se détache et flotte — il sera récupéré plus tard. Pour le moment, l'équipage est totalement occupé à éviter les soubresauts de la baleine. La ligne se déroule par-dessus bord en sifflant ; à intervalles réguliers, des peaux de phoque gonflées y sont attachées. La baleine a plongé et le bateau s'efforce de suivre la direction probable de sa course. Au moment où la bête émerge à nouveau, elle reçoit un second harpon, puis un troisième, dont les lignes sont toujours munies de flotteurs en peau de phoque. Enfin, épuisée par ses blessures et par la traînée des flotteurs, la baleine renonce et demeure immobile, flottant à la surface.

Alors commence la phase la plus dangereuse de la chasse. Avec précaution, le bateau se range le long du flanc de l'énorme bête. D'un coup vigoureux, le harponneur plonge sa lance dans le corps de l'animal, visant une partie vitale. La baleine fait des bonds gigantesques et en toute hâte l'embarcation s'éloigne pour éviter les terribles coups des nageoires de queue battant l'air. Mais le fragile esquif revient témérairement à la charge et le harponneur frappe une, deux, trois fois encore. Enfin la baleine souffle, mais le jet est rougeâtre cette fois : une lance a perforé un poumon. Le capitaine ordonne aux rameurs de faire force de rame en arrière pour éviter que

Une femme pêcheur esquimaude porte des visières à fentes, ancien modèle de lunettes, dont il existe plusieurs types taillés soit sur bois, soit sur ivoire (cartouche), afin d'éviter la «cécité des neiges » provoquée par la réverbération d'un environnement blanc étincelant. Dans certaines de ces visières, les œillères sont revêtues à l'intérieur d'une couche de suie pour mieux absorber la lumière.

le bateau ne soit atteint par les bonds du monstre agonisant.

Moins d'un quart d'heure plus tard, la baleine flotte, morte, dans une écume rougeâtre; la lutte a pris fin et l'équipage pousse un grand cri de triomphe. Alors, les autres bateaux qui ont eu moins de chance s'approchent et toutes les embarcations s'unissent pour remorquer lentement l'énorme bête jusqu'au rivage. Avant de l'atteindre, il faudra pagayer trois heures. Enfin, voici la côte. Tous les gens valides du village tireront et pousseront, centimètre par centimètre, la carcasse échouée sur la glace où l'animal sera découpé. Avant tout, la tête de la baleine est tranchée, et l'épouse du capitaine victorieux offre cérémonieusement au cadavre un verre d'eau douce : « Merci d'être venue, chante-t-elle; sans doute avez-vous soif. » Elle invoque alors l'âme de la bête, libérée par la décapitation, et elle supplie l'esprit de retourner parmi les baleines pour raconter comment les hommes l'ont bien traitée. Si ce rituel n'était pas accompli, les Esquimaux pensaient que les cétacés ne reviendraient pas dans les parages l'année suivante.

Six semaines ont passé. Les dernières baleines franches ont franchi les couloirs d'eau claire vers l'océan Arctique; elles passeront l'été près du pôle; mais, entre-temps, les chasseurs du village ont réussi à tuer pas moins de cinq de ces monstres. Des tonnes de viande sont entassées dans des trous creusés dans le sol, en prévision de l'hiver. En outre, le village dispose d'une réserve de graisse : le surplus sera transformé en huile que les chasseurs iront échanger contre des fourrures et des peaux de caribous dès l'été, au cours d'expéditions commerciales organisées vers les villages de l'intérieur. Pour la communauté que nous décrivons, il semble que l'année commence bien.

Des nombreuses civilisations remarquables qui se sont développées jadis en Amérique du Nord, celle que nous venons de décrire est peut-être la plus remarquable eu égard aux conditions imposées par le milieu. Cette reconstitution de la vie que menaient les Esquimaux de l'Alaska voici 4 000 ans reste une hypothèse. Mais de nombreux traits de leur existence se sont perpétués sans changements majeurs sur plusieurs millénaires et presque jusqu'à nos jours. Lorsque ces témoignages directs sont recoupés par les découvertes archéologiques, la vie des anciens Esquimaux du Grand Nord renaît pour nous; nous pouvons même supposer avec quelque certitude que les croyances spirituelles de ces ancêtres esquimaux existaient déjà à l'époque.

La terre désolée qu'habitaient ces peuples et que continuent d'habiter leurs descendants s'étendait sur la côte de l'Arctique et ses bordures de toundra sur un immense territoire allant, à l'est, des îles Aléoutiennes situées au large de l'Alaska jusqu'au Groenland à l'ouest. Dans l'ensemble, ces régions arctiques constituaient l'un des milieux les plus ingrats et les plus difficiles que l'homme eût jamais habités. Le fait que les Esquimaux aient survécu dans de telles conditions suppose une imagination et des dons d'intelligence poussés à un degré extraordinaire.

Même au cours de l'été où le soleil brille 24 heures par jour, ces régions restent inhospitalières. Les températures estivales se situent en moyenne autour de 10° centigrades. Cela suffit pour dégeler partiellement la surface du sol qui se transforme en marécages infestés de moustiques. En quelques endroits, surtout dans le Nord-Est du Canada et au Groenland, le sol ferme n'existe plus. La terre a été râpée jusqu'à la roche même par les glaciers de l'âge de glace. Mais, en raison de la brièveté du printemps et de l'été, des basses températures et du vent intense, la végétation est rabougrie; elle comprend des espèces vivaces, joncs, saules nains, lichens, mousses et herbes basses. Bien que la couverture végétale restât faible, elle suffisait cependant à nourrir les troupeaux de caribous et de bœufs musqués. Là également vivaient des millions de petits animaux, campagnols et lemmings, aux dépens desquels survivaient les renards, les loups et les belettes. Les petits lacs et les innombrables mares et étangs regorgeaient de poissons qui attiraient des nuages d'oiseaux aquatiques.

Si l'été était inconfortable mais abondant en ressources, la saison d'hiver était presque insupportable. Dans l'obscurité glaciale qui se prolongeait durant des mois, la *moyenne* des températures se maintenait bien en dessous de zéro, avec des extrêmes jusqu'à moins 50°. Les

Une famille esquimaude se serre sur la plate-forme
surélevée, lit commun de l'igloo, pendant que
le repas fait de viande de morue et de phoque
mijote dans des récipients suspendus (à droite,
au fond). Pour le chauffage, la cuisson et l'éclairage,
les Esquimaux brûlent de l'huile de phoque, ou du
suif de caribou, dans des lampes de stéatite creusées
en forme de coquille et munies de mèches de mousse.
On en voit ici le modèle (cartouche du haut) à côté
des récipients de cuisson quadrangulaires aux
poignées faites de courroies. Les cuillères (cartouche
du bas), creusées dans un « bois » de bœuf musqué,
servent à mélanger et à servir les aliments.

tempêtes de neige alternaient avec des périodes de calme au cours desquelles le peu de chaleur emmagasinée dans le sol se perdait dans l'atmosphère claire du ciel noir. Quant aux oiseaux et à la plupart des troupeaux, ils émigraient vers le sud, et la plupart des animaux restants entraient en hibernage.

Quels furent les peuples qui régnaient sur un tel territoire ? Les témoignages archéologiques tirés de quelques sites côtiers dans l'Ouest de l'Alaska révèlent que les hommes vécurent là voici 5 000 ou 6 000 ans. Certains ancêtres des Indiens durent séjourner dans ces régions durant des périodes d'une durée variable avant de pousser plus au sud, bien que ces gens n'aient laissé que peu de traces de leur passage en Alaska. L'histoire de cette population préhistorique du Grand Nord reste obscure ; ce que l'on sait seulement, c'est que les peuples qui établirent des habitats permanents dans les solitudes glacées de l'Arctique étaient des immigrants arrivés au Nouveau Monde à une date relativement récente. Les Esquimaux et leurs cousins les Aléoutes atteignirent apparemment la côte et les îles de l'ouest de l'Alaska, en venant de Sibérie aux environs de 2 000 avant notre ère. En ce temps-là, l'isthme de terre était depuis longtemps submergé et formait la mer de Béring, de sorte que ces peuples durent traverser le détroit soit en bateau, soit en marchant sur la banquise qui, par périodes, bloquait les 100 km du détroit, constituant un pont dangereux entre l'Asie et l'Amérique.

Plusieurs sortes de preuves confirment la théorie selon laquelle les Esquimaux auraient atteint l'Amérique assez récemment. Ainsi, les plus vieux objets façonnés laissés par les Esquimaux ne sont pas antérieurs à 4 000 ans. En outre, les Esquimaux ressemblent aux peuples du Nord-Est asiatique bien davantage qu'aux autres aborigènes d'Amérique. Leur peau est relativement claire ; leur face est presque toujours aplatie, avec un nez large et épaté. Les yeux sont fendus et couverts par les paupières charnues et le « pli mongoloïde », caractéristique des peuples de l'Asie de l'Est. Il n'est jusqu'à leur langage qui ne révèle une ancienne parenté avec l'Asie. Les nombreux dialectes esquimaux et aléoutes se ressemblent et sont proches des langues tchouktche et kamchadal ainsi que d'autres dialectes qui sont parlés sur la côte asiatique de la mer de Béring. Les langues esquimaudes n'offrent aucun point commun avec celles des Indiens d'Amérique.

Le genre de vie qu'inaugurèrent les plus anciens Esquimaux arrivés sur le continent et qu'ils répandirent plus tard de l'Alaska au Groenland resta partout conditionné par l'environnement nordique. Les Esquimaux portaient des vêtements de fourrure et de peau, à défaut desquels ils eussent péri de froid. L'extrême rudesse du climat obligeait ces individus à vivre au moins durant les longs mois d'hiver dans des abris bien isolés du froid, soit dans des maisons creusées dans le sol, soit, comme au centre de l'Arctique, dans des igloos bâtis avec des blocs de neige. Bien que ces peuples eussent chassé les animaux terrestres tout au long de l'année, ils vivaient principalement des produits de la mer, traquant les phoques, les baleines et autres mammifères marins.

Au cours des siècles, les techniques de base qui permettaient la survie se perfectionnèrent sous l'effet d'une extraordinaire ingéniosité technologique ; cependant, la raison pour laquelle ce mode de vie évolua en une culture purement esquimaude ne sera élucidée qu'après de futures découvertes en archéologie arctique. Toutefois, une chose semble évidente : les Esquimaux durent apporter avec eux en Amérique les inventions fondamentales qui leur permirent d'exploiter les mers nordiques. Le plus important de tous ces apports reste sans aucun doute le canoë en peau.

La poursuite des baleines sur l'océan fut caractéristique des paléo-Esquimaux qui formèrent la civilisation de « la Baleine », ou du « Béring ancien ». Leurs traces ont été découvertes au cap Krusenstern, dans le Nord-Ouest de l'Alaska. Ces trouvailles datent d'environ 2 000 ans avant J.-C. Ces anciens baleiniers utilisaient de solides lames de silex qu'ils emmanchaient sur de robustes harpons ; bien qu'aucun fragment de canoë ne nous soit parvenu, les sites du Béring ancien ont fourni en abondance des os de baleine qui attestent les prouesses des baleiniers comme chasseurs en haute mer.

Outre l'outil indispensable que constituaient des canoës tenant bien la mer, les anciens Esquimaux y ajoutèrent finalement une gamme étonnante d'outils et de systèmes

Une femme esquimaude gratte des lambeaux de graisse sur une peau de caribou. Dans cette première phase du tannage, elle utilise des couteaux métalliques ou à lame de pierre polie (en haut). Lorsque la peau est sèche, elle est travaillée au grattoir émoussé pour l'assouplir (en bas). La prise en main de l'outil est assurée par des encoches creusées à la mesure des doigts de son propriétaire, ce qui facilite grandement la tâche.

*Pour percer un bois de caribou qui formera une
gaine de couteau, un Esquimau emploie une forêt
à arc comme le faisaient ses ancêtres. Il saisit entre
les dents l'extrémité de l'os et fait tourner l'axe
en agitant l'arc. La plupart des cordes des arcs
de ce type sont faites de lanières en peau de
phoques; beaucoup sont décorés (comme dans
le cartouche) de sculptures compliquées.*

spéciaux correspondant aux diverses exigences résultant de la vie polaire. C'est ainsi que leurs harpons se composaient souvent d'une demi-douzaine d'éléments. Un type très répandu de cette arme comportait une tête en ivoire de morse amovible terminée par une pointe de silex ou de schiste taillé, laquelle était percée d'un trou pour y fixer un fil de ligne. Cette tête était attachée non pas au manche du harpon proprement dit, mais à une pièce intermédiaire d'os souple. Pour obtenir encore plus de souplesse, cette pièce était fixée à une douille d'ivoire qui s'adaptait au manche proprement dit. La pièce intermédiaire, la douille et le manche étaient attachés ensemble avec des lanières de peau et de boyaux *(page 102)*. Le manche était muni d'une poignée d'ivoire ou d'os avec l'emplacement du pouce, afin de procurer une puissance supplémentaire à la main du lanceur.

L'ingéniosité des Esquimaux produisit également l'un des plus étranges abris qui furent jamais conçus par l'homme: une maison qui, bien qu'entièrement construite de neige et de glace, constitue un habitat où la température reste supportable alors que l'air extérieur descend à moins 40° centigrades. Il est impossible de retrouver l'origine des igloos : lorsque cette cabane fond, il n'en subsiste évidemment aucune trace. On peut cependant supposer que les igloos des temps préhistoriques ne différaient pas sensiblement de ceux qu'édifient encore aujourd'hui les Esquimaux des régions centrales de l'Arctique. Là, un homme et sa femme peuvent édifier un igloo familial de 3 à 5 m de diamètre en l'espace d'une heure.

Le mari qui veut construire un igloo dessine d'abord un cercle sur la neige dure pour délimiter les contours; puis, à l'aide d'un os en forme de spatule ou d'un couteau en bois de renne, il découpe la neige à l'intérieur du cercle en blocs rectangulaires d'environ 10 cm d'épaisseur. Travaillant de l'intérieur du cercle, l'homme entasse les blocs en suivant une spirale ascendante qui se referme progressivement pour former un dôme. Les architectes déclarent que c'est le seul type de dôme connu qui puisse être édifié sans échafaudage (dans l'Arctique, cela serait hors de question, les arbres n'existant pas). Pour doter l'habitation d'une entrée à épreuve des courants d'air, l'Esquimau construit un tunnel comme celui des maisons enterrées, mais cette fois en blocs de neige. Pendant ce temps, la femme, travaillant à l'extérieur de l'igloo, recouvre d'une couche de neige la paroi extérieure afin de faire les joints et de boucher toutes les fissures.

Lorsque le gros œuvre de l'igloo est terminé, l'Esquimau aménage à l'intérieur une plate-forme, qui servira de lit commun, et une table de cuisine, le tout construit en neige, solidement, avec un cadre de blocs glacés; l'éclairage intérieur est fourni par une lucarne de glace transparente placée dans le mur près de l'entrée; à l'extérieur de la fenêtre, l'homme place un gros bloc de neige qui réfléchira à l'intérieur la lumière du jour. Le chauffage de l'igloo est assuré par une lampe à graisse dont la chaleur transforme la face interne du toit en un plafond de glace lisse qui ne coule jamais; au contraire, une pellicule d'eau fondue suintera le long des murs jusqu'au sol, où elle gélera à nouveau.

Les harpons et les igloos ne représentent que deux exemples de l'équipement spécialisé des Esquimaux. Des fouilles effectuées dans un seul site du Nord de l'Alaska, près de Point Barrow, et qui ont été datées de 500 de notre ère environ, ont fourni les restes d'une demi-douzaine seulement d'habitations creusées dans le sol. On y a découvert une variété ahurissante d'outils au nombre desquels figurent la plupart de ceux que nous avons déjà mentionnés en décrivant la vie esquimaude au début du présent chapitre. Le matériel de chasse comprenait des lances et leurs propulseurs, neuf espèces de bolas en os pour la chasse aux oiseaux et plus d'une demi-douzaine de types de pointes de harpons. A côté des arcs, on a retrouvé les épissoirs qui servaient à tendre la corde de l'arc, des tiges de flèches et six variétés de pointes de flèches en os, dont certaines étaient barbelées à crans multiples pour la chasse au gros gibier. Mentionnons également les pipettes au moyen desquelles le chasseur insufflait de l'air sous la peau d'un phoque tué au harpon, afin que le corps de l'animal ne coule pas.

Certains Esquimaux de Point Barrow possédaient jadis des pinces pour redresser les tiges de flèches, des crocs pour dépecer le lard d'une carcasse de baleine, et une sorte d'hameçon double à deux pointes en os symétriques, entre lesquelles on attachait la ligne; lorsque le poisson vorace l'engloutissait, l'engin se coinçait dans sa gorge. Pour voyager sur la neige et la glace, ces anciens Esquimaux possédaient des traîneaux et des toboggans fabriqués à l'aide d'os de baleine et de fanons liés ensemble. On a retrouvé une quantité de vestiges de bateaux (dont certains étaient évidemment des jouets d'enfants), et leur présence a démontré qu'à cette époque, voici 1 500 ans, les kayaks et les oumiaks de peau que ces gens utilisaient pour chasser la baleine ressemblaient de très près à ceux de leurs descendants du XIXᵉ siècle. Outre ce matériel de pêche et de chasse, les sites de Point Barrow regorgeaient d'articles qui ressemblaient à l'inventaire d'une ancienne boutique de quincaillier nordique: lames de bois de renne en forme de pelle pour la neige, perches destinées à sonder les zones dangereuses de glace ou de neige, pierres à aiguiser, outils à graver, forets, outils à creuser en os de baleine, couteaux de pierre et herminettes pour le travail du bois mort, aiguilles et boîtes à aiguilles en os, et des dizaines d'autres articles spécialisés.

C'est ainsi que le responsable des fouilles de Point Barrow, le regretté James A. Ford, du Muséum américain d'Histoire naturelle, a pu qualifier cette civilisation ancestrale des Esquimaux de « culture à gadgets ». Ces peuples et leurs cousins Aléoutes étaient naturellement doués pour l'invention et l'innovation; il est certain que s'ils n'avaient pas été suffisamment ingénieux pour parer aux rigueurs de l'Arctique, ils ne se seraient sans doute pas établis à l'origine dans ces régions. Il semble qu'ils aient essayé presque tous les systèmes, pour en retenir les meilleurs. Dans le cas des Aléoutes, ce comportement pragmatique s'est étendu, à l'époque historique, au-delà des inventions mécaniques jusqu'à évoquer certains parallèles étonnants avec les méthodes scientifiques modernes. C'est ainsi qu'au XIXᵉ siècle, les Aléoutes pratiquaient des autopsies sur leurs morts pour déterminer la cause du décès, et qu'ils procédaient à la dissection des loutres de mer à titre d'étude anatomique comparative; ces gens croyaient en effet que cet animal possédait une structure très semblable à celle de l'homme (ce qui, compte tenu des animaux qu'ils connaissaient, était assez exact). En outre, ce pragma-

tisme s'étendait aux mœurs familiales: si une dispute éclatait sur la façon d'élever un enfant, deux enfants étaient alors élevés par deux méthodes différentes avant que l'on décidât du meilleur procédé.

Cette attitude novatrice du type « essayons toujours, nous verrons bien », qui était celle des Esquimaux et des Aléoutes, nous aide à comprendre les difficultés des savants à reconstituer leurs cultures. Les témoignages archéologiques contiennent les restes d'anciennes civilisations qui, bien qu'essentiellement similaires, ont produit des styles d'arts et d'objets façonnés très différents. En outre, certains de ces styles ne sont clairement reliés ni entre eux ni avec les styles précédents ou suivants de la même région, en dépit du fait que les objets eux-mêmes servaient aux mêmes buts et restent encore en usage chez les Esquimaux d'aujourd'hui.

Les recherches archéologiques sur les anciens Esquimaux se heurtent aux formidables obstacles que

Un musicien esquimau bat la mesure sur un vieux tambourin pour rythmer les échanges de railleries et d'histoires grossières entre les hommes (à gauche). Ci-dessus, un autre joueur de tambourin rythme des pas de danse dans la « pantomime de l'ours amoureux ». Certains tambourins sont des œuvres d'art minutieusement fabriquées et adroitement décorées (comme dans le cartouche).

*Prêt à frapper, un chasseur brandit un harpon de 1,50 m de long.
Dans le cartouche de droite, figurent deux sortes de harpons : l'un,
comportant une hampe fixe en défense de narval et une pointe en
lame de couteau, est conçu pour être enfoncé dans un orifice de
respiration de phoque dans la glace. L'autre, arme de jet, possède
une hampe détachable , montrée ici sans sa pointe pour présenter le
détail de construction. Ces deux armes sont reliées à une ligne en
lanière de cuir (cartouche du bas) à laquelle une vessie d'animal
gonflée (cartouche de gauche) peut être fixée comme flotteur servant
à freiner la fuite de la proie.*

doivent surmonter les fouilleurs de l'Antarctique. Bien qu'un certain nombre d'anciens sites aient été découverts en plein campus de l'université de l'Alaska, près de Fairbanks, d'autres sites se trouvent dans des régions éloignées et encore à peu près inexplorées. Certains d'entre eux sont récemment devenus plus accessibles grâce aux hélicoptères mais, ne pouvant s'accomplir que durant la courte période d'été, les travaux de terrassement se heurtent à des difficultés spéciales. Lorsque les outils des archéologues ont atteint la couche dite « perma frost » qui est gelée en permanence, ils doivent attendre que le soleil ait fait fondre quelques centimètres du sol avant de creuser plus avant. L'existence de ce « perma frost » naturel profondément gelé présente des avantages : ainsi sont préservées des matières qui, par ailleurs, auraient été détruites — os, bois de renne et bois. Mais cette conservation ne va pas sans inconvénients : on a constaté que les détritus et les excréments des époques préhistoriques « retrouvent leur odeur initiale » lorsqu'ils dégèlent! Malgré tout, ces déchets représentent une riche source d'informations concernant les régimes alimentaires de l'époque, tandis que les os des oiseaux migrateurs indiquent à quelle saison de l'année le site était habité.

Ces obstacles physiques, sinon esthétiques, qu'opposent aux fouilles le sol gelé de ces contrées, ont freiné l'application des méthodes traditionnelles de fouilles verticales et remis en question la classification habituelle, qui suit l'ordre de superposition des vestiges aux époques successives. Ces difficultés ont conduit les archéologues de l'Arctique, en particulier J. Louis Giddings, de l'université Brown, à mettre au point un procédé entièrement différent : une chronologie préhistorique relative par séquences. Dans un certain nombre de régions, le long de la côte ouest de l'Alaska, l'observation aérienne permet de déceler de larges zones de plages qui sont striées de petites crêtes et de sillons, comme si quelque laboureur géant y avait passé la charrue. Ces crêtes sont utilisées par l'archéologie comme un calendrier des plages. Elles représentent les tracés successifs de la côte qui a été déplacée au cours de nombreux siècles par les courants marins rongeant le rivage. Chaque plage est parallèle à la sui-

vante et un peu plus éloignée de la ligne de rivage précédente.

Ces plages fascinèrent Giddings. Sur un site situé au-delà du cercle polaire, près du cap Krusenstern, il compta 114 plages distinctes. L'ensemble formait une étendue d'herbes, de broussailles et de marécages qui était large de 4 à 6 km dans une zone comprise entre la mer et un lagon peu profond. Giddings raisonna ainsi : « Sans doute tout peuple préhistorique, qui dépend essentiellement de la mer pour sa nourriture, a dû automatiquement s'installer sur la crête de la plage la plus proche de la mer à son époque. C'est cet emplacement qui leur donnait le meilleur point d'observation pour guetter les phoques et les baleines, et l'accès le plus rapide à la mer pour les bateaux. Ainsi, pensa Giddings, plus une plage se trouve actuellement loin de la mer, plus ancienne elle sera et plus vieux seront les vestiges que l'on y découvrira. »

Et, de fait, la méthode se révéla fructueuse. Les 8 premières plages explorées contenaient des traces relativement récentes des Esquimaux, tandis que 11 autres plages, situées à l'intérieur, livrèrent des emplacements d'habitation et des objets façonnés que l'on data d'environ l'an 1 000 de notre ère. Ces trouvailles ressemblaient à celles que l'on avait découvertes précédemment depuis l'Alaska jusqu'au Groenland; il s'agissait des restes des peuples de Thulé, ainsi nommés du nom d'un village du Groenland. Les objets façonnés découverts au cap Krusenstern ressemblaient suffisamment à ceux des Esquimaux de la période historique pour prouver que ces derniers descendent directement des peuples de Thulé. En poursuivant les recherches à l'intérieur, à 1 500 m de la côte actuelle, la plage n° 53 livra les restes de la civilisation de la Baleine qui sont de 3 000 ans plus anciens, et qui se rapportent au premier peuple connu pour avoir mené le style de vie esquimau.

Année après année, crête après crête, Giddings et ses collaborateurs continuèrent à fouiller la préhistoire du cap Krusenstern. Les plages les plus anciennes livrèrent des outils de petite taille, ou microlames, qui furent datées d'environ 3 000 ans avant J.-C. Leurs fabricants, appelés « Peuples des microlames arctiques », ont pu appartenir ou non aux races esquimaudes, mais ils semblent tout au moins avoir transmis la technique de cet outillage aux peuples qui leur succédèrent et qui étaient sans nul doute de véritables Esquimaux.

Au-delà de la plage la plus ancienne, sur une crête qui a dû émerger de l'océan depuis la période glaciaire, Giddings découvrit des outils qui datent d'environ 4 000 ans avant J.-C. Ces pointes de lances, généralement massives et encochées sur les deux côtés en vue d'un fixage par lanières sur une hampe, diffèrent nettement de tout autre outillage fabriqué par les peuples arctiques ultérieurs. Enfin, une industrie à pointes encore plus rudimentaire a été découverte; cette culture, encore plus ancienne, n'a pu, jusqu'à présent, être datée.

Ces trouvailles et le produit de nombreuses autres fouilles ont permis d'établir la séquence chronologique de l'occupation humaine dans les régions côtières de l'Alaska, du Canada et du Groenland. Mais, ce que ces fouilles n'ont pu nous révéler c'est la manière exacte dont les peuples qui se sont succédé sur un site s'apparentent à ceux qui vivaient ailleurs; de même, il est impossible dans certains cas de définir comment les habitants successifs d'une seule localité s'apparentent entre eux. Sur les plages du cap Krusenstern, on retrouve les traces d'un peuple dont l'outillage est particulièrement fruste, et qui sont presque directement suivies par les vestiges d'un peuple aux qualités artistiques étonnantes : il s'agit des Ipiutaks, qui peuplèrent les diverses régions de l'Ouest de l'Alaska au cours des premiers siècles de l'ère chrétienne.

Ce fut à quelque 150 km du cap Krusenstern, sur un site appelé Point Hope, que l'on a découvert le plus riche gisement de la culture Ipiutak. Ce peuple a produit des sculptures complexes d'os et d'ivoire : personnages humains et animaux, bestiaires fantastiques; ils fabriquaient des chaînes délicates dont les anneaux étaient ingénieusement imbriqués à partir d'une seule pièce. Les Ipiutaks décoraient richement les têtes de leurs harpons, les manches de leurs couteaux, et de nombreux objets usuels. Certains des spécimens les plus bizarres de la culture Ipiutak proviennent des tombes : les visages des morts étaient dotés d'yeux artificiels grands ouverts en ivoire, de fiches d'ivoire plantées dans le nez et de plaques couvrant la bouche.

Un Esquimau attache un caribou tué au harpon (en haut, à gauche)
sur son kayak. Le kayak, formé de peaux de phoques tendues, est un
bateau lisse (à gauche) dont l'unité de conception s'étend au passager
lui-même : autour du trou d'homme est disposée une peau de phoque
que le pilote serre autour de sa ceinture au moyen d'un lien. Ainsi,
le bateau est-il étanche et il flottera, même s'il se retourne dans l'eau.

La découverte la plus remarquable faite à Cape Hope provient des vestiges de quelque 600 habitations semi-souterraines : il s'agit de la communauté préhistorique la plus importante qui ait jamais été mise au jour dans l'Arctique. Cette agglomération est même plus importante, à quelques exceptions près, que les sites archéologiques que l'on ait jamais trouvés en Amérique du Nord. Mais quelle qu'ait pu être la réussite des peuples Ipiutak, si l'on en juge par l'importance de leur communauté et les objets façonnés que l'on a découverts, il semble que ces peuples n'aient laissé aucun héritier culturel nettement identifiable. Leurs successeurs, à Point Hope et ailleurs, ne nous ont transmis que des vestiges purement matériels qui révèlent un souci plus tourné vers les activités pratiques que vers les préoccupations artistiques.

Devant cet enchevêtrement de données archéologiques, la reconstitution de la préhistoire esquimaude dans son ensemble reste une tâche délicate. On sait avec certitude qu'après l'an 1000 de notre ère, des peuples pré-esquimaux à microculture vinrent à se répandre dans les régions nordiques : le long de la basse plaine côtière du Nord de l'Alaska et du Nord-Ouest du Canada, en franchissant les innombrables canaux et détroits éventés et encombrés de glace de l'archipel canadien; ils atteignirent ainsi les roches brumeuses de la baie d'Hudson, de l'île de Baffin et du Groenland. Ils poussèrent même jusqu'aux côtes désolées du fjord de l'Indépendance qui est situé dans le Groenland du Nord-Est, à moins de 1 000 km du pôle Nord.

A cette époque, le premier peuple de race nettement esquimaude (de la civilisation de la Baleine) avait atteint l'Alaska. A partir de là, il se répandit lui aussi vers l'est. Aux alentours de 500 de notre ère, ces baleiniers, conjointement avec les Peuples des microlames arctiques, contribuèrent vraisemblablement au développement d'une culture distincte, celle des peuples de Dorset (ainsi nommés d'après le cap Dorset sur l'île de Baffin, où des vestiges en furent tout d'abord découverts.) Les Dorsets, dont nous savons qu'ils avaient atteint les régions nord de Terre-Neuve aux environs de 500 après J.-C., furent peut-être les premiers Américains autochtones à nouer quelques contacts avec les Européens, et c'est là que

Après avoir capturé une truite saumonée dans un barrage de pierre construit sur un goulet (en haut, à gauche), les Esquimaux piquent le poisson frétillant (ci-dessus) avec des engins spéciaux à long manche, sorte de trident (cartouche du haut). Les saumons constituent une source importante de nourriture, leur peau étant même utilisée. Séchée d'une seule pièce et fermée à une extrémité, elle se transforme en sac pratique pour loger les engins de pêche (cartouche de gauche).

Un archer bande son arc muni d'une flèche à pointe d'os (ci-dessous).
Cette arme (cartouche de droite) est l'un des nombreux types mis au
point par les Esquimaux. Un procédé simple, mais efficace, est l'appât
à loups (cartouche du bas) : il s'agit d'un double éclat d'os de baleine
fortement lié d'un fil de boyau, puis noyé dans une boule de graisse.
Lorsque le loup glouton happe la graisse, il avale également l'os qui lui
perfore l'estomac, ce qui provoque chez l'animal une hémorragie
mortelle. Le couteau à gaine (cartouche de gauche) fait partie de la
panoplie personnelle du chasseur, qui l'utilise pour dépouiller les peaux.

se situe la ligne de démarcation qui sépare pour l'Amérique la préhistoire de l'histoire. Ces Européens étaient évidemment des Vikings, ou Normands, dont un groupe, sous la conduite d'un certain Thorfinn Karlsefni, tenta de fonder la colonie de « Vineland » — située probablement dans la Terre-Neuve actuelle — et cela aux environs de l'an 1005 de notre ère. C'est alors que les Normands y rencontrèrent un peuple auquel ils donnèrent le nom de « Skraelings », appellation péjorative signifiant « indigènes » en vieux norse, langue des Vikings.

Si l'on peut ajouter foi aux sagas qui relatent l'expédition de Karlsefni, les Skraelings étaient sans doute des Esquimaux. Les chroniques normandes les décrivent comme arrivant sur des bateaux de peau, qui sont d'invention esquimaude; les Indiens des régions est n'ont jamais utilisé que des pirogues en troncs d'arbres ou des canoës d'écorce. Trait encore plus significatif, les Vikings disaient de ces gens « qu'ils avaient des yeux remarquables et des joues larges ». Si effectivement les Indien sont, comme les Esquimaux, les joues larges, leurs yeux ne présentent rien de spécialement remarquable. Par contre, les Esquimaux aux yeux fendus à l'orientale durent paraître insolites aux Européens du XIe siècle.

Dans les premiers temps, les relations entre les Dorsets et les Vikings restèrent amicales, mais finalement la lutte s'engagea entre les deux groupes. (Dans le récit des batailles, un détail fournit la preuve supplémentaire que Skraelings et Esquimaux ne faisaient qu'un; en effet, ceux-ci lançaient des javelots auxquels étaient attachés « de larges objets sphériques qui atteignaient presque le volume d'une panse de mouton » — sans doute s'agissait-il de harpons et des flotteurs traditionnels en peau de phoque gonflée). L'issue de la lutte ne semble pas avoir été décisive, même si Karlsefni et ses amis comprirent sans doute que le Vineland n'était pas une région de tout repos pour s'y établir. Ainsi, historiquement, les Dorsets peuvent-ils être considérés comme le premier peuple autochtone d'Amérique, sinon le seul, qui ait repoussé une invasion européenne.

Cependant, le triomphe des Dorsets fut de courte durée; en quelques siècles, leur culture fut supplantée ou absorbée par celle des peuples de Thulé, ancêtres directs des Esquimaux modernes et héritiers des traditions de chasse en mer de la civilisation de la Baleine; en l'espace de quelques centaines d'années, les peuples de Thulé s'étaient répandus depuis l'Ouest de l'Alaska jusqu'au Groenland.

Les causes et modalités exactes de cette remarquable expansion restent incertaines. Il est possible qu'à l'origine de cette diffusion se trouve une nouvelle invention, le traîneau à chiens utilisé par les Thulés, mais inconnu aux Dorsets. Les traîneaux à chiens, non seulement ont pu donner aux chasseurs de Thulés une mobilité bien supérieure, mais ils leur ont fourni une aide très efficace dans les chasses d'hiver. Le gibier (phoques, en particulier) pouvait désormais être transporté beaucoup plus loin.

Quelle qu'en soit la raison, les peuples de Thulé et leurs descendants esquimaux habitèrent la totalité de la côte arctique américaine à partir de l'an 1000 de notre ère. Ils franchirent même le détroit de Béring jusqu'à l'extrémité est de la Sibérie. Dans le milieu qu'ils avaient choisi, les anciens Esquimaux élaborèrent un genre de vie qui constitue un excellent exemple d'ingéniosité, d'endurance et de courage au milieu de difficultés naturelles incroyables.

Chapitre cinq : Les fermiers du Sud-Ouest

Voici 5 000 ans environ, l'apparition d'une nouvelle technique, l'agriculture, marqua un tournant décisif qui devait bouleverser le mode de vie des Indiens d'Amérique du Nord. Une évolution similaire s'était déjà produite dans d'autres régions du monde, mais nulle part elle ne s'était déroulée dans un environnement plus défavorable : l'extrémité sud-ouest des États-Unis actuels.

Le milieu de ces régions était déjà à l'époque très semblable à celui que nous connaissons. Le touriste qui parcourt de grandes distances en Arizona et au Nouveau-Mexique est frappé par la pauvreté de la terre. Ici on ne voit ni grandes étendues verdoyantes, ni basses terres fertiles, mais un désert sec et pierreux, torride en été, glacial en hiver, et constamment balayé par les vents. La seule végétation consiste en touffes clairsemées d'acacias (prosopis) et cactus épineux qui pourraient faire vivre le bétail de quelques pauvres éleveurs, mais l'aspect du sol n'incite guère l'homme à passer la charrue et à ensemencer.

Pourtant, ce fut sans doute la pauvreté même de la région qui poussa ses habitants à tenter d'en cultiver le sol, là du moins où les conditions naturelles ne se montraient pas trop hostiles. La couverture végétale était trop faible pour attirer les troupeaux sauvages d'herbivores et la chasse au gros gibier ne donnait que peu de résultats. On trouvait des baies sauvages et de petits animaux, mais rarement en quantité suffisante pour subvenir aux besoins d'une population trop importante. Aussi l'idée de s'assurer un appoint alimentaire par la culture des plantes dut séduire ces Indiens du Sud-Ouest, lorsque l'agriculture se répandit en provenance d'Amérique centrale.

Les preuves les plus anciennes d'agriculture au Nouveau Monde proviennent du Mexique. Là, aux environs de 8 000 avant notre ère, quelques peuples fourrageurs d'Amérique centrale avaient appris à acclimater certaines plantes sauvages dont les graines constituaient depuis longtemps une partie de leur régime, et ces hommes savaient cultiver une demi-douzaine d'espèces. Dans le nombre figuraient trois végétaux qui, finalement, allaient conditionner l'existence de tous les peuples cultivateurs d'Amérique centrale et d'Amérique du Nord : les haricots, les courges et le maïs. Ainsi, il n'est pas étonnant que l'agriculture, s'étendant vers le nord, ait atteint d'abord, dans cette région voisine du Mexique, les déserts du Sud-Ouest des États-Unis actuels. Les habitants de Bat Cave, au sud-ouest du Nouveau-Mexique, y cultivaient vers 3 000 avant J.-C. une espèce grossière de maïs.

Un long espace de temps dut cependant s'écouler avant que l'agriculture ne puisse fournir ne serait-ce la moitié des ressources alimentaires des peuples du Sud-Ouest et, pendant des siècles, ces derniers furent davantage des fourrageurs du désert que des cultivateurs. Le climat était un obstacle naturel qui freinait également la croissance des plantes qu'ils tentaient de faire pousser. Le plus vieux maïs trouvé dans Bat Cave, par exemple, est encore très proche de l'espèce sauvage. Cette plante, maintenant disparue, possédait des épis de moins de 3 cm de long, ne portant que quelques douzaines de graines. En outre, ces épis miniature, à la différence des variétés de maïs moderne, n'étaient pas recouverts d'une graine protectrice, de sorte que les grains restaient exposés à la convoitise des oiseaux et des rôdeurs. L'espèce de maïs qui suivit n'était que légèrement plus productrice mais, progressivement, au cours des siècles, les Indiens du Sud-Ouest parvinrent à améliorer les souches. Entre-temps, ils durent trouver des méthodes pour pallier le manque d'eau : la rareté des averses fait, encore aujourd'hui, d'une agriculture sans irrigation une affaire de chance dans la plupart de ces régions.

Des personnages stylisés qui battent des mains dans une danse rituelle décorent ce détail de ce vase de terre cuite vieux de 1 000 ans. Fabriquée par les Indiens Hohokam du Sud de l'Arizona, qui furent l'une des premières tribus à passer de la collecte et de la cueillette à l'agriculture, cette pièce prouve l'importance croissante des rites qui se développèrent comme d'ailleurs la poterie, avec l'adoption d'un mode de vie plus sédentaire.

Dans le Sud-Ouest, les pluies tombent principalement en été, d'habitude sous la forme d'averses orageuses brèves mais abondantes; l'eau ruisselle le long des collines avant d'être absorbée par le sol. Pour récupérer une partie du précieux liquide, les premiers agriculteurs apprirent à construire des barrages de pierres sèches dans le lit des petits *arroyos* creusé par le ruissellement des pluies. Ces barrages, non seulement réduisaient la vitesse du débit de l'eau pour accélérer son absorption dans le sol, mais ils arrêtaient les sédiments et limons qui formaient de petites terrasses de sol plus fertile. Dans les endroits où une source coulait au pied d'une falaise, un groupe d'agriculteurs pouvaient construire un mur encerclant une pièce de terre qu'ils remplissaient ensuite de sable et de détritus pour en faire un jardin. Dans les basses terres, le long des ruisseaux plus importants et des rivières, les tribus devaient disposer leurs champs pour profiter des bienfaits des inondations qui suivaient les averses ou que provoquait la fonte des neiges sur les montagnes, en amont des torrents. Certains peuples employaient sans doute « l'irrigation à main », semblable à celle que l'on utilise encore aujourd'hui au Mexique et dans le Sud-Ouest, transportant l'eau jusqu'aux champs dans des paniers à revêtement d'argile, des outres de peau ou des récipients en poterie. Dans certains endroits, les Indiens du Sud-Ouest construisirent finalement des réseaux complexes d'irrigation comportant des réservoirs pour stocker l'eau, laquelle était ensuite distribuée par des canaux.

Les techniques d'agriculture s'améliorèrent de même, bien que l'outillage ne semble pas avoir dépassé le stade du bâton à fouir, en bois dur épointé; cet outil servait déjà à déterrer les racines sauvages et à creuser des trous dans le sol pour les plantations de graines ou pour tracer une nouvelle rigole d'irrigation. Les semailles s'effectuaient au début du printemps, lorsque le sous-sol gardait encore l'humidité des ruissellements de l'hiver. Le maïs était enfoui dans des trous profonds, de manière à former des massifs largement espacés dans le champ, compte tenu des ressources limitées en eau. Chaque massif ou touffe comportait assez de graines pour produire dix à douze tiges de maïs. A mesure que les tiges levaient — rarement au-delà d'un mètre —, les plantes sauvages environnantes protégeaient les pousses des vents secs et chauds de l'été, de telle sorte que celles-ci fleurissaient suffisamment pour produire quelques épis.

Vers 300 avant J.-C., certains agriculteurs du Sud-Ouest commencèrent à s'établir dans des villages. Ils se fixèrent dans les vallées des monts Mogollon, au Nouveau-Mexique, et l'on pense que ce furent les ancêtres des Indiens Zuñi actuels du Nouveau-Mexique et de l'Arizona. Comme l'étendue des terres cultivables était restreinte aux pentes et aux étroites vallées du pays Mogollon, les habitants continuèrent de dépendre largement de la chasse et de la cueillette pour compléter leur maigre récolte; aussi les villages comprenaient-ils rarement plus d'une douzaine de maisons du type « semi-enterrées ».

Ces habitations étaient grossièrement circulaires ou rectangulaires; leurs fondations étaient creusées dans le sol à 1 m au plus de profondeur. Elles étaient recouvertes d'une charpente de bois surmontée de branchages, le tout étant supporté par de solides poteaux. La couverture extérieure se composait sans doute de joncs ou de roseaux tressés et une sorte de torchis à base de boue assurait l'étanchéité du toit, excepté en cas d'averses torrentielles, d'ailleurs peu fréquentes; étant à demi enterrées, ces habitations jouissaient d'une certaine fraîcheur contre la chaleur extérieure du désert. Dans le Sud-Ouest, la température peut atteindre souvent près de 40° centigrades en été mais, à quelques centimètres dans le sol, la chaleur est bien moindre. C'est pourquoi le rat-kangourou et une demi-douzaine d'autres espèces d'animaux du désert creusent des trous et des terriers où ils passent, au frais, les heures les plus chaudes de la journée. Peut-être leurs voisins Mogollon remarquèrent-ils le goût des animaux pour les siestes souterraines et eurent-ils l'idée de construire des abris qui jouaient en effet le rôle de terriers. Ces maisons semi-enterrées étaient également isolées contre le froid qui est moins rare au désert qu'on ne le pense généralement; en raison de l'air clair et sec, une température de 40° à midi descend parfois jusqu'au voisinage de 0° à l'aube, tandis qu'en hiver le froid peut être encore plus mordant, spécialement en altitude.

A l'ouest du territoire montagneux des Mogollons, des communautés d'agriculteurs plus expérimentés se développèrent dans les vallées de la Gila et de la rivière Salée, dans le Sud-Ouest de l'Arizona. Là, les conditions naturelles semblaient encore plus défavorables à l'agriculture puisque ces deux cours d'eau coulent à travers l'un des pires déserts d'Amérique du Nord. Mais, contrairement à son aspect, le sol de cette région est étonnamment riche ; il se compose de limons d'argile que déposent à chaque printemps les crues de ces rivières que gonflent les pluies et la fonte des neiges provenant des montagnes de l'Est.

Aux environs de 100 avant J.-C., un peuple que l'on pense avoir été l'ancêtre des tribus Pima et Papago et que les archéologues ont nommé peuple de Hohokam (d'après un mot pima qui signifie « ce qui a disparu ») pratiquait une méthode rudimentaire d'irrigation par inondation : il construisit des digues et de petits barrages qui détournaient l'eau de la Gila et de la rivière Salée jusqu'aux champs cultivés sur les berges en terrasse. Bientôt, cependant, perfectionnant encore leurs procédés d'irrigation, sans doute sous l'influence de peuples du Mexique qui pratiquaient et amélioraient l'irrigation depuis au moins un millénaire, les tribus Hohokam se mirent à creuser des tranchées qui transportaient l'eau vitale jusqu'aux champs les plus éloignés des rivières.

La trace des premiers efforts des Hohokam est difficilement décelable aujourd'hui : leurs travaux ont été largement recouverts par l'irrigation moderne, l'agriculture et le développement des agglomérations (plusieurs sites Hohokam sont ensevelis sous la ville actuelle de Phœnix). Cependant, le docteur Emil Haury, professeur d'anthropologie à l'université d'Arizona, suggère que les fossés primitifs creusés par les Hohokam pouvaient atteindre 5 m de large pour une profondeur ne dépassant pas 50 cm. Plus tard — sans doute pour réduire l'évaporation du précieux liquide en diminuant la surface des canaux —, celle-ci fut ramenée à moins de 3 m, mais la profondeur s'accrût jusqu'à près de 2 m ou plus. L'intérieur était enduit d'argile afin d'éviter une trop grande perte d'eau par absorption du sol.

Dans quelques endroits, les Hohokam édifièrent des barrages de terre assez importants pour détourner le cours des rivières vers les canaux principaux qui amenaient l'eau sur une distance de 50 km. Là, un réseau secondaire répartissait le liquide à travers les champs. Le débit de l'eau était réglable, comme dans les systèmes modernes d'irrigation : une série de vannes, sortes de panneaux mobiles, permettait de doser plus ou moins l'écoulement dans les rigoles et les canaux ; les Hohokam construisaient probablement ces vannes en panneaux d'herbes étroitement tissées et renforcées par du bois, ces panneaux pouvant se lever ou s'abaisser à volonté.

Des systèmes d'irrigation aussi complexes exigeaient évidemment une technicité élaborée, une somme énorme de travail manuel et une parfaite organisation. Il semble que les fossés aient été entièrement creusés à l'aide de bâtons à fouir ; les traces de coups ont été retrouvées sur les parois des canaux exhumés par les archéologues. Quant à la terre extraite, elle était transportée dans des paniers. Une fois construites, ces canalisations devaient en outre être entretenues ; il fallait curer périodiquement les dépôts d'argile laissés par les eaux boueuses du printemps, tandis que les crues subites qui suivaient les averses d'orages durant l'été pouvaient rompre les berges et endommager les champs situés en contrebas. Ces efforts portèrent leurs fruits : le système de canaux des Hohokam achemina l'eau vers les riches sols de vallées éloignées des rivières et c'est ainsi que put se développer une population plus nombreuse qui se groupa en communautés dépassant en importance celles des Mogollon.

L'habitation de base des Hohokam ressemblait à la maison semi-enterrée des Mogollon, mais d'autres installations — comme les terrains de jeux et les tertres pyramidaux — étaient nettement plus élaborées. Les terrains de jeux rappelaient ceux que les conquérants espagnols découvrirent chez les Aztèques du Mexique — esplanades ovales en argile dont les dimensions allaient de celles d'un terrain de basket à celles d'un terrain de football. Aux deux extrémités du terrain se dressaient les buts marqués par des pierres ou constitués par un bassin. Le jeu se pratiquait avec une balle de caoutchouc (fabriquée probablement à base de jus coagulé, tiré d'une plante du désert appelée guayule) et suivant des règles précises.

D'après les récits oculaires des Espagnols qui assistèrent jadis aux jeux de ballon mexicains, ce sport paraît avoir été une combinaison du football américain, du basket-ball, du volley-ball et de la « mêlée ». La balle ne pouvait être ni jetée ni lancée au pied ; en fait, les joueurs la frappaient — et se frappaient mutuellement — de la main, du genou, des coudes et de ce que les Espagnols appelaient « les parties postérieures », lesquelles étaient munies de cuir protecteur. L'objectif du jeu consistait à envoyer la balle dans le but adverse, mais cet objectif semble avoir rarement été atteint; s'il marquait un but, le joueur auteur de l'exploit avait le droit de s'emparer des habits et des bijoux portés par les spectateurs. Il s'ensuivait des émeutes fréquentes opposant, d'une part, les amis du vainqueur qui voulaient l'aider à collecter sa juste récompense, et, d'autre part, les spectateurs qui essayaient de fuir pour conserver leurs biens.

Les déductions évidentes qu'inspirent les terrains de jeux des Hohokam, à savoir que leurs constructeurs avaient été fortement influencés par les sociétés plus avancées du Mexique, sont renforcées par la présence de tertres pyramidaux qui furent édifiés par les Hohokam. Construits en argile fortement battue, et de dimensions relativement réduites, ces tertres sont à n'en point douter des versions simplifiées des énormes pyramides en pierre du Mexique dont les plates-formes ont probablement été, comme celles de leurs consœurs mexicaines, surmontées de temples.

D'autres preuves établissant les contacts des Hohokam et du Mexique sont fournies par leurs objets façonnés et leurs motifs décoratifs. Ainsi, le serpent attaqué par un oiseau, emblème qui apparaît sur certaines poteries peintes Hohokam, rappelle un ancien symbole mexicain (le motif serpent-oiseau figure encore sur le drapeau national du Mexique). De plus, les miroirs en schiste poli et les petites cloches de cuivre exhumés sur les sites Hohokam représentent presque certainement des importations mexicaines, puisque rien ne prouve que les Hohokam ont su travailler le métal.

La forte influence mexicaine exercée sur les Hohokam a conduit certains préhistoriens à suggérer que ces communautés, tout au moins aux époques les plus avancées, c'est-à-dire entre 700 et 1100 de notre ère, ont pu constituer des colonies dépendant d'autres peuples civilisés qui vivaient plus au sud. En raison des centaines et des centaines de kilomètres de déserts et de montagnes difficiles à franchir qui séparaient les Hohokam de tous

les empires guerriers indiens qui se développèrent au Mexique, on imagine difficilement que les Hohokam aient pu constituer des peuples coloniaux placés sous le contrôle militaire direct de dominateurs étrangers. Cependant, on pourrait qualifier ces établissements de coloniaux dans ceci que les Hohokam formaient des communautés semi-indépendantes qui avaient été fondées par des immigrants venus du Mexique, et qui gardaient des liens commerciaux et culturels avec le pays-mère. Par contre, il est aussi plausible que les caractères mexicains retrouvés au pays Hohokam soient la simple conséquence de relations commerciales (comme ce fut sans doute le cas pour les méthodes d'irrigation).

Mais, de quelque façon qu'elle ait subi l'influence du Mexique, la société Hohokam ne plagiait en rien l'exemple venu du Sud. Cette civilisation possédait ses caractères particuliers et techniques originales — dont l'une au moins restait unique, non seulement en Amérique, mais dans le monde entier de l'époque. Aux environs de l'an 1000 de notre ère, c'est-à-dire plusieurs siècles avant que les artistes européens ne découvrissent ce procédé, les artistes Hohokam imaginèrent un moyen de réaliser des dessins à l'eau forte. Les Hohokam dessinaient à la pointe sur des coquilles qu'ils troquaient avec les Indiens habitant le long du golfe de Californie. La découverte, voici quelques années, d'une coquille prête pour la gravure nous a révélé comment le procédé était appliqué. La coquille, qui fut découverte à Snaketown, important site Hohokam près de la rivière Gila, portait encore la couche de brai protectrice dont le graveur avait soigneusement enduit la partie du dessin qu'il voulait conserver en relief. Pour compléter son œuvre, cet homme aurait alors plongé la coquille dans un bain d'acide faible — sans doute dans le jus vinaigré résultant de la fermentation du fruit du cactus saguaro. Cet acide aurait alors rongé lentement la surface de la coquille laissée sans protection.

Cependant, en dépit de leur art et de leur agriculture avancée, le mode de vie des Hohokam ne s'étendit jamais au-delà des vallées qui étaient assez larges et assez arrosées pour permettre une irrigation à large échelle. Les agriculteurs du Sud-Ouest les plus largement répandus étaient de loin les Anasazi, qui prospéraient au nord des régions occupées par les Hohokam et les Mogollon. Leurs descendants d'aujourd'hui sont les Hopi, mais le nom de Anasazi que leur donnent les archéologues provient d'un terme navajo qui signifie « les Anciens ».

Les Anciens étaient non seulement des fermiers avisés, mais encore des constructeurs ingénieux. Ils furent les premiers à édifier ces bâtiments remarquables auxquels on songe immédiatement lorsqu'on évoque l'agriculture indienne du Sud-Ouest. Ce sont les pueblos, comme les nommèrent les explorateurs espagnols, terme qui signifie « villes ». Il s'agit d'habitats collectifs construits en briques sèches, ou « adobe ». Les plus extraordinaires pueblos, et peut-être les établissements les plus spectaculaires, tant du Nouveau Monde que de l'Ancien, sont ceux qui furent bâtis dans les falaises naturelles, au flanc des parois abruptes des cañons. Les plus connues de ces maisons de falaises sont celles du parc national de Mesa Verde, dans le Sud-Ouest du Colorado. Six cent cinquante ans après avoir été abandonnées par les derniers habitants, elles restent encore presque utilisables, à condition d'employer le seul itinéraire possible d'accès, c'est-à-dire d'escalader la falaise verticale en utilisant les trous taillés dans le roc pour les pieds des grimpeurs.

A l'origine, les Anasazi occupaient une région très délimitée que l'on nomme aujourd'hui « Four Corners », (c'est-à-dire les « Quatre Coins », là où les frontières de l'Arizona, du Nouveau-Mexique, de l'Utah et du Colorado se rencontrent); mais, au faîte de leur puissance, c'est-à-dire vers 1200 de notre ère, leurs villages couvraient une région considérable de ces quatre États. Bien qu'il existât là de vastes zones nues où toute agriculture est impossible, une grande partie du pays où s'installèrent finalement les Anasazi convient davantage à des activités agricoles que le rude pays Mogollon; en outre, ces régions exigent une irrigation moins élaborée que les vallées du désert aménagées par les Hohokam. C'est une succession de *mesa* (ou hauteurs) et de plateaux dont l'altitude garantit des précipitations relativement abondantes; une partie de cette eau de pluie pouvait être emmagasinée dans des réservoirs et, ainsi, la plupart du temps, l'agriculture pouvait être pratiquée sans exiger l'aménagement de

systèmes d'irrigation à longue distance. Ce pays recèle également certains des sommets les plus élevés du Sud-Ouest — les Rocheuses au Colorado, la Sangre de Cristo au Nouveau-Mexique, la chaîne de Wasatch dans l'Utah. De ces versants coulent un grand nombre de torrents alimentés par des pluies fréquentes, et les fermiers Anasazi surent en utiliser le cours pour irriguer par inondation les terres basses et les vallées.

Les plus anciens établissements Anasazi qui remontent au début de l'ère chrétienne (c'est-à-dire qui sont contemporains du début des systèmes d'irrigation Hohokam) ne laissaient guère prévoir les réalisations qui devaient suivre. Les maisons étaient composées de structures en forme de dômes qui, à la différence des habitations semi-souterraines des Mogollon et des Hohokam, étaient construites sur de légères dépressions de terrain. Leurs auteurs élevèrent des couches concentriques de madriers dans une clôture qui était cimentée avec une sorte de torchis. Ces habitations semblent avoir manqué d'une installation que les peuples préhistoriques eux-mêmes (Mogollon et Hohokam compris) considéraient comme essentielle : un emplacement de foyer intérieur. Sans doute le système de chauffage consistait-il en pierres chauffées sur un feu extérieur puis transportées dans un trou creusé sur le sol de la cabane. Le fait peut s'expliquer parce que le bois de construction était recouvert d'herbes et de branchages très inflammables : entretenir un foyer intérieur eût été dangereux. Quoi qu'il en soit, quelques siècles plus tard, les Anasazi construisirent des maisons semi-enterrées plus conventionnelles, comprenant un foyer central, dont la fumée s'échappait par un orifice aménagé dans le toit. Sans doute pour prévenir les flammes dangereuses qu'auraient pu provoquer les rafales de vent pénétrant par la porte, ces foyers étaient protégés par des écrans faits de dalles de pierre. Peut-être ces panneaux contribuaient-ils à arrêter les courants d'air froid en hiver.

Ce ne fut qu'à partir de 900 de notre ère que l'on voit apparaître chez les Anasazi les premiers pueblos. L'origine de ces singulières constructions demeure mystérieuse : on n'en trouve l'équivalence nulle part en Amérique du Nord et ce modèle reste rare parmi les structures d'habi-

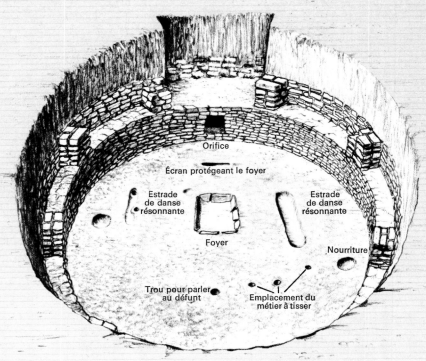

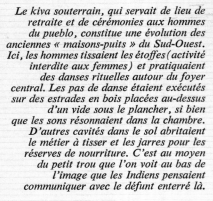

Le kiva souterrain, qui servait de lieu de retraite et de cérémonies aux hommes du pueblo, constitue une évolution des anciennes « maisons-puits » du Sud-Ouest. Ici, les hommes tissaient les étoffes (activité interdite aux femmes) et pratiquaient des danses rituelles autour du foyer central. Les pas de danse étaient exécutés sur des estrades en bois placées au-dessus d'un vide sous le plancher, si bien que les sons résonnaient dans la chambre. D'autres cavités dans le sol abritaient le métier à tisser et les jarres pour les réserves de nourriture. C'est au moyen du petit trou que l'on voit au bas de l'image que les Indiens pensaient communiquer avec le défunt enterré là.

tations contemporaines au Mexique. Mais les premiers Espagnols eurent raison de les baptiser « villes » car elles formaient de véritables agglomérations. Un village entier était constitué par un seul bâtiment où trouvait abri toute la population. Les plus grands pueblos préfigurent déjà les immeubles à appartements. Le Pueblo Bonito, dont les ruines se dressent dans la vallée fertile du Chaco au Nouveau-Mexique, comportait 4 ou 5 étages, totalisait plus de 800 chambres et sa construction formait un immense « D » entourant deux places jumelles. Cependant, de nombreux pueblos moins importants formaient un assemblage hétéroclite de modules à peu près cubiques ajoutés les uns aux autres au cours des temps. Ils ressemblent à un jeu de construction fait par un enfant au moyen de blocs de formes et de dimensions différentes.

Assez curieusement, l'habitation semi-enterrée ou une architecture qui y ressemblait survécut au milieu de ces constructions nouveau style même si ses murs de terre furent finalement recouverts de maçonnerie. Ses chambres circulaires et semi-souterraines (où l'on pénétrait au moyen d'une échelle placée dans une ouverture du toit recouvert de boue) constituaient le prototype de ces chambres sacrées, ou kivas, que les tribus indiennes du Sud-Ouest utilisent encore pour y pratiquer des cérémonies; peut-être ces locaux étaient-ils réservés aux mêmes usages chez les peuples Anasazi.

A l'époque où ils construisaient des pueblos, les Anasazi avaient développé une culture qui était assez vigoureuse pour répandre son style d'architecture et d'autres caractères à travers le Sud-Ouest, par des procédés apparemment pacifiques. C'est ainsi que les Anasazi absorbèrent la civilisation plus primitive des Mogollon et qu'ils influencèrent celle des Hohokam.

Pour quelles raisons les Anasazi ont-ils conçu la première fois ces pueblos qui furent ensuite si largement répandus? Nous en sommes réduits aux suppositions. Peut-être la raréfaction croissante du bois de construction, jointe à l'augmentation de la population due elle-même aux progrès de l'agriculture, força-t-elle les habitants à construire des habitations de plus en plus nombreuses. Le remplacement du bois par la pierre et l'adobe aura presque automatiquement donné aux pueblos leurs murs verticaux qui imposaient certaines limites aux formes de l'édifice; mais, par la même occasion, il devenait possible d'ajouter une pièce supplémentaire en construisant à l'extérieur d'une paroi existante trois nouveaux murs.

Plus encore que la diminution du bois, on peut invoquer le besoin de sécurité comme ayant favorisé l'adoption de ce procédé. La population croissante des habitants des pueblos a pu être une source de frictions entre divers groupes, et ces frictions génératrices de conflits plus sérieux. Un certain nombre de pueblos ont l'air de forteresses aux murs hauts : c'est ainsi qu'au premier étage, par exemple, les portes et les fenêtres s'ouvrent toutes sur la cour intérieure. Le seul moyen d'y pénétrer pour qui vient de l'extérieur est l'échelle — et l'échelle reste essentiellement mobile; une fois qu'elle a été retirée, les murs extérieurs blancs se dressent inaccessibles aux ennemis du dehors.

C'est le besoin de sécurité qui peut seul expliquer le développement des pueblos Anasazi à flanc de falaises. Ce sont des habitations qui figurent parmi les plus impraticables jamais réalisées par l'homme. Construites dans des régions où des hautes *mesas* sont profondément découpées par des cañons étroits, les pueblos se dressent dans des anfractuosités vertigineuses à flanc de falaises abruptes. La plupart d'entre eux, situés trop hauts pour être atteints par le bas du cañon, étaient reliés au sommet des *mesas* par des sentiers escarpés le long de la falaise : parfois, ces pistes périlleuses se réduisaient à une série de creux taillés dans le rocher pour servir d'appuis aux mains et aux pieds. Aujourd'hui encore, certaines de ces habitations ne sont accessibles qu'à des alpinistes expérimentés qui doivent descendre en rappel la falaise, en cordée. Et, pourtant, leurs anciens habitants, les Anasazi, hommes et femmes, portant des enfants ou lourdement chargés de nourriture, montaient et descendaient plusieurs fois par jour, faisant le trajet entre les pueblos et les champs cultivés au sommet des *mesas*. L'un des pueblos les plus grands et les plus impressionnants, le fameux Cliff Palace (palais des Falaises) du Mesa Verde, est construit dans une énorme caverne qui mesure plus de 100 m de long et 37 de profondeur, sous un aplomb de roc formant une arche de 20 m de haut. Ce pueblo contient plus de 200 chambres et plusieurs centaines de personnes devaient y loger. Entre la caverne et le sommet de la *mesa* se dressent 30 m de falaise verticale. Aujourd'hui, les visiteurs qui ne craignent pas le vertige peuvent, en se penchant sur l'abîme au cours de l'ascension, apercevoir le fond du cañon à 250 m plus bas.

Certaines de ces habitations troglodytes sont si bien conservées que l'on imagine aisément quel fut le genre de vie mené dans ces anciennes communautés actives au temps de leur prospérité. Reportons-nous à 900 ans en arrière. Le visiteur qui s'approche en traversant le sommet de la *mesa* ne rencontre aucun signe annonçant un village, mais seulement des champs cultivés. Ces pièces de terre ne dépassent pas la superficie d'un jardin, 2 000 m² (ou 1/5e d'hectare) ou moins; elles sont éparpillées sur l'étroite bande de terre tabulaire du sommet et coupées de quelques bosquets de pins Cembro et de genévriers, vestiges de l'ancienne couverture forestière de la *mesa*.

L'été touche à sa fin, et chaque champ contient des touffes d'épis de maïs mûrs. Entre celles-ci, on aperçoit des buissons bas de haricots et des plants à tiges rampantes sur lesquels diverses variétés de gourdes, de citrouilles et de courges mûrissent à côté de plants de coton qui fournissent aux habitants des falaises leur matière première textile. Les bordures de certains champs s'ornent de tournesols, appréciés non seulement pour leurs fleurs, mais pour leurs graines oléagineuses et comestibles. Les moissons sont presques mûres et les champs sont déserts, à l'exception d'une douzaine de garçons qui ont pour rôle d'éloigner les corbeaux des récoltes. Les hommes du village, en temps ordinaire, partagent avec les femmes les travaux des champs (contrairement à la plupart des hommes indiens, ils ne considèrent pas cette tâche comme indigne d'eux). Aujourd'hui, ils profitent de quelque répit pour chasser le cerf à queue blanche, ou cerf de Virginie, dans les montagnes environnantes.

Cependant, notre visiteur atteint l'extrémité des champs, et le sol, brusquement, se dérobe devant lui. A ses pieds, le plateau se termine à arête vive au bord d'un cañon dont les parois, presque perpendiculaires, de grès rouge brun s'enfoncent à plus de 250 m de profondeur. Penché sur l'abîme, le visiteur ne peut encore apercevoir le village. Seul, le bruit des voix qui monte du ravin et l'amorce d'un sentier étroit qui descend vers le fond du cañon révèlent la présence d'un établissement humain. Quelque 70 m plus bas, le sentier vertigineux conduit au village édifié dans une large cavité de roche que protège un gigantesque éperon. Ces constructions rappellent par leur situation les nids d'hirondelles sous les combles d'une grange.

Le village est construit sur une succession de terrasses. Sur la plus haute, de quelque 10 m de large, s'élèvent

Le Cliff Palace, ou Palais des falaises, de Mesa Verde (Colorado) est aujourd'hui en ruines, mais il abrita autrefois plus de 400 personnes dans ses 200 chambr

...s habitants se rendaient à leurs champs situés 30 m plus haut sur le plateau en escaladant la falaise par des échelles de bois et en s'aidant de trous creusés dans la pierre.

des maisons de grès cimentées avec de la boue et dont les murs du fond sont constitués par la roche mère du fond de la caverne. Devant ces habitations, d'une demi-douzaine d'ouvertures obscures débouchant à la surface de la terrasse, pointent des échelles. Ce sont les entrées des kivas souterraines. Une terrasse à un niveau inférieur sert de petite place qui se termine par une pente accentuée que la communauté utilise partiellement comme cimetière et partiellement comme décharge d'ordures. Un troupeau de dindons domestiques y picorent paisiblement.

Voici que l'un des prêtres du village a reconnu le visiteur et l'accueille suivant un rituel encore respecté par les descendants Hopi du XXe siècle : « Peut-être cherchez-vous quelque chose ? » La réponse est également rituelle : « Je suis venu dans l'intention de voir nos amis. » Le prêtre invite alors son hôte à s'asseoir pour se reposer sur la terrasse qui s'étend devant sa maison. En fait, c'est la demeure de son épouse dans laquelle il habite depuis son mariage. Il offre de l'eau claire et plusieurs minuscules gâteaux faits de farine de maïs, cuite sur des pierres brûlantes puis enroulée en petits cylindres serrés. Ces gâteaux constituent la nourriture de base du villageois. Des siècles plus tard, la recette subsiste encore : on les appelle des tacos.

De la terrasse, le visiteur peut observer les villageois dans leurs activités quotidiennes. Comme nous sommes à la belle saison, la plupart de ceux-ci, hommes et femmes, ne portent guère plus qu'une courte jupe sur un pagne, ces deux pièces étant faites de coton tissé provenant des plants qui poussent sur le sommet de la *mesa*. Cependant, quelques femmes arborent de lâches tuniques de coton avec des sortes d'écharpes coloriées jetées par-dessus l'épaule. La plupart des villageois vont nu-pieds, d'autres portent de simples sandales de roseaux tressés. Cependant, lorsque l'hiver fera son apparition, ces hommes et femmes revêtiront des habits plus chauds, des robes de peaux de lapin ou de cerf et des bas épais en fibres tissées avec des plumes de duvet de dindon.

Juste derrière le visiteur, le nouveau gendre du prêtre est occupé à construire une pièce supplémentaire au bout de la maison où il vivra avec son épouse. La pierre de construction est le grès qui a été détaché de la roche mère

du cañon par le gel et les pluies. Les lignes de fracture naturelle du grès produisent des blocs assez plats, bien qu'à l'occasion le maçon utilise un morceau de rocher pour régulariser les volumes. Il entasse les blocs comme des couches de briques et les cimente d'un lit de boue d'argile qu'il a trouvée dans un dépôt à une extrémité de la falaise. Cette boue, mêlée d'eau et de sable, a été façonnée en blocs plus aisés à transporter. Les encadrements de portes seront faits de madriers solides ou de linteaux de pierres longues. Lorsqu'il aura terminé les murs, l'homme construira la charpente en madriers, qu'il recouvrira d'une couche de rondins plus petits, puis d'une autre de broussailles, et il couronnera le tout d'un revêtement d'argile pressé. Pendant ce temps, la nouvelle épouse accomplira la tâche qui, traditionnellement, lui échoit dans l'ouvrage : façonner le sol de la maison en le revêtant d'une couche égale d'argile battue.

Plus loin sur la falaise, une femme fait de la poterie. Elle ignore l'usage du tour qui, pourtant, est déjà largement répandu dans le Vieux Monde. Prenant une certaine quantité d'argile pétrie, elle en fait un boudin mince qu'elle roule sur une dalle de pierre, puis elle enroule ce cordon d'argile en spirale : la forme du pot apparaît — le procédé rappelle celui des paniers façonnés en herbes tressées. La base du pot sera faite de ce même boudin d'argile enroulé à plat qui sera égalisé à la main humide. La réalisation des parois du pot avec de nouveaux boudins est une opération particulièrement délicate. Si l'argile est trop sèche, les boudins n'adhéreront pas entre eux et le pot se cassera. Si la terre est trop mouillée, le pot s'effondrera sous son propre poids. De temps à autre, la potière égalise les boudins en frottant l'extérieur du pot avec un morceau de coloquinte sèche puis, d'un mouvement adroit de la main, poussant de l'intérieur, elle donne à l'ustensile sa forme incurvée. Dans l'intervalle, elle met de côté un pot inachevé afin de laisser ses parois sécher suffisamment pour supporter le poids de nouveaux boudins. Pendant ce temps, elle commencera à ébaucher de nouveaux ustensiles.

Lorsque les poteries seront entièrement mises en forme, la femme attendra qu'elles soient parfaitement sèches avant de les couvrir d'un enduit, c'est-à-dire d'une mince couche d'argile pure qu'elle appliquera à l'aide d'un morceau de peau. Lorsque cet enduit lui-même sera sec, la potière polira ses œuvres au moyen d'un caillou lisse, puis elle les décorera de dessins géométriques de couleur noire, en utilisant de l'argile délayée à l'eau. Enfin, après un dernier séchage, les pots seront cuits dans un four de pierre qui aura été préalablement chauffé au feu de bois.

Non loin de l'atelier de poterie, un groupe de femmes est occupé à moudre le maïs pour le repas du soir. Elles travaillent devant une rangée de coffres composés de dalles de pierre dont chacun est muni d'une pierre à broyer inclinée à une extrémité. En utilisant un cylindre de pierre, elles écrasent les épis de maïs en farine tout en chantant en cadence. Comme les pierres à broyer sont du même grès relativement tendre qui est utilisé pour la construction des maisons, la farine ainsi obtenue renfermera une certaine proportion de poudre de pierre.

Mais, maintenant, le soleil va disparaître derrière le bord du cañon, et les membres du village reviennent de leur travail; les garçons descendent des champs situés au sommet de la *mesa*; ils sont bientôt suivis par la bande des chasseurs qui rapporte un cerf tué à coups de flèches. La fille aînée du prêtre, non encore mariée, prend une grande jarre à eau, la juche en équilibre sur un coussin posé sur sa tête, puis elle se rend au puits du village; celui-ci est, en fait, un réservoir cimenté d'argile qui recueille les eaux d'une petite source suintant à une extrémité de la falaise. La jeune fille y sera rejointe par ses amies, également filles à marier, venues puiser l'eau, et elles y rencontreront de jeunes célibataires plus âgés qui échangeront des commentaires flatteurs mais mesurés sur les charmes des porteuses d'eau. La coutume qui existe encore aujourd'hui chez les Hopi du XXe siècle est une méthode traditionnelle de faire sa cour : si l'un des jeunes hommes s'éprend d'une des filles, il lui demandera un verre d'eau; si le garçon lui plaît, elle lui donnera à boire et, dans les semaines qui suivent, elle peut s'attendre à ce que l'élu demande sa main à son père.

Comme le soir tombe, notre voyageur est invité à dîner. Bien que ce soit la maison du prêtre, l'intérieur en est aussi modeste que toute autre demeure du village. Elle consiste en simples chambres à peu près rectangulaires, basses de plafond, et dont la plus grande mesure environ 2,50 × 3,50 m. La famille l'utilise comme atelier et comme salle à manger. Au centre de la pièce, dans un foyer creusé à même le sol, brûle un feu et sa chaleur est la bienvenue car l'air sec du soir fraîchit, même si les murs épais de la maison ont retenu une partie de la chaleur du jour. Sur les parois intérieures des murs, dans les interstices entre les couches de pierre, sont plantées un certain nombre de chevilles de bois où sont accrochés des arcs, des carquois de flèches à pointe de silex, des sacs tissés en filet dont quelques-uns sont remplis de racines comestibles, des pièges pour les lapins et les écureuils, et autres ustensiles.

C'est dans la petite chambre adjacente que la famille dormira à même le sol, sur des nattes de fibres; chacun s'enroulera dans une couverture de peau de lapin ou de fibres de yucca tissées et entrelacées avec du duvet de dindon. Les autres pièces, trois petites cellules, servent de réserve : des épis de maïs séchés, reliquat de la récolte de l'année passée, pendent des poutres du plafond à côté de courges séchées suspendues à des ficelles de yucca. De grandes jarres disposées sur le sol ou pendues aux crochets du mur dans un filet de fibres de yucca contiennent les haricots et les graines de courges cultivées ou de plantes sauvages comme l'angélique ou la patte d'oie.

Comme l'habitation ne comporte pas de sièges, le visiteur et son hôte s'assoient sur le sol d'argile de la pièce principale pour dîner. Le repas consiste en gâteaux de maïs dont le gravier crisse sous la dent, d'un savoureux mélange de viande de dindon, de lapin et de gibier, accompagné de haricots et de bouillie de maïs. Il s'agit d'épis de cette céréale qui ont mariné dans une solution acide d'eau et de cendres qui a dissout la cosse. Figurent également au menu de la menthe, du miel, des oignons sauvages et du sel qui est récolté sur les bords d'un lac saumâtre situé à quelque 15 km du village. En l'honneur du visiteur, des extras sont prévus aujourd'hui : cônes de pin, courges grillées, graines de tournesol et courges douces séchées. On boira une sorte de limonade à base de baies de sumac adoucies avec le jus de figues de Barbarie; les convives boiront dans des chopes de poterie

Pueblo Bonito : un seul immeuble pour 1000 familles

Pueblo Bonito — la « ville splendide », comme la surnommèrent plus tard les Espagnols — était le plus important des ensembles « à maisons collectives en appartements » existant dans le Sud-Ouest. Construite par les Anasazi entre 900 et 1 100 de notre ère, dans la vallée du Chaco, au Nouveau-Mexique, la cité se composait d'une énorme construction unique qui contenait 800 pièces d'habitation où logeaient jusqu'à 1 200 familles d'agriculteurs. Ceux-ci cultivaient du maïs, des haricots et des gourdes dans les champs irrigués situés à proximité.

Le pueblo était une construction en extension continuelle, adoptant la forme d'un croissant et haute de 4 à 5 étages; il abritait plus de 30 kivas, chambres en forme de puits où se réunissaient les clans. Ce développement inexorable semble avoir épuisé les ressources en bois de la vallée, ce qui interrompit la construction; en outre, vers le XIIe siècle, des sécheresses successives avaient apparemment rendu la culture impossible. Au XVIe siècle, lorsque les Espagnols entreprirent la conquête du Sud-Ouest, Pueblo Bonito était depuis longtemps en ruines.

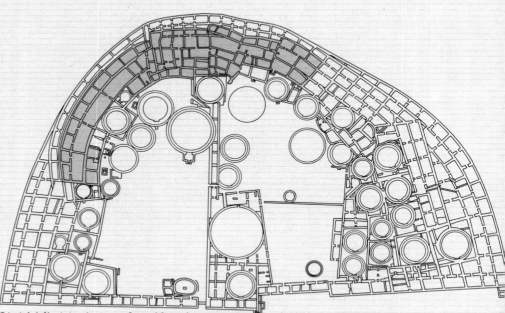

Limité à l'origine à une surface réduite (zone teintée en sombre), le Pueblo Bonito grandit jusqu'à former une sorte d'immense « garenne » de chambres, qui atteignit 140 m de diamètre.

artistement décorées d'un motif en damier.

On notera que le poisson ne figure pas au menu. Bien que de grosses truites vivent dans le torrent au fond du cañon, les villageois n'osent les pêcher, et encore moins les manger. Cela risquerait d'offenser les esprits de la pluie et de l'eau qui se manifestent par les averses intermittentes de l'été, lesquelles sont essentielles à la survie dans ce pays sec.

Après le repas, le prêtre, son gendre et leur hôte se dirigent vers la kiva, local qui fait à la fois fonction de club et de chapelle. Ils y seront rejoints par quelques voisins qui pénétreront au moyen d'une échelle par un orifice caché dans le toit. Le long des parois circulaires de la kiva, les hommes s'assoient sur des bancs de pierre et discutent entre eux, ou taillent des pointes de flèches. Certains, accroupis sur le sol, tissent des filets ou tressent des paniers (tâche qui appartient traditionnellement aux hommes). Tout d'abord, ils fumeront avec cérémonie des cigarettes de tabac pressé dans des fragments de tiges creuses de canne à sucre. La fumée est une invitation

rituelle adressée aux nuages pour faire venir la pluie.

Quelques semaines plus tôt, la kiva aurait été réservée à des usages plus sérieux. L'accès en eût été interdit à quiconque, sauf au prêtre chargé des cérémonies; celui-ci s'y serait retiré pour accomplir les rites nécessaires à la venue d'une averse vivement espérée : l'homme verse de l'eau sur le sol et choque des pierres l'une sur l'autre pour imiter le tonnerre, rappelant ainsi ses devoirs à l'esprit de la pluie. A d'autres périodes, la kiva est réservée aux membres de l'une des cinq ou six sociétés de médecine du village qui, comme leurs correspondants chez les Hopi du XXe siècle, cherchaient par des chants et des rites à guérir les villageois malades ou blessés. Le groupe qui utilise la kiva pratique une sorte de rituel général de la médecine, mais est également spécialisé dans le traitement des entorses et fractures. D'autres groupes sont compétents pour les maladies respiratoires, l'épilepsie ou autres affections. Chaque société de médecine se compose, d'une part, de prêtres et, d'autre part, de tous les anciens malades qui ont été guéris par le groupe, de sorte que le

Pueblo Bonito, construit en forme de « D » en briques cuites au soleil, s'élevait au-dessus de deux places jumelles où se tenaient les danses publiques. Les structures circulaires sont des puits de cérémonies, ou kivas, où l'on accédait à l'aide d'échelles.

nombre des membres s'accroît sans cesse. Les patients, une fois guéris, sont invités à payer leur traitement sous la forme d'un droit important d'initiation, qui se règle en nourriture, en habillement ou en articles de ménage.

Outre ses autres devoirs religieux, le prêtre est l'officiant du soleil pour le village. Cette position jouit d'un grand prestige et d'une responsabilité importante ; c'est à lui que revient le soin de déterminer le moment des semailles. Dans ces contrées de hauts plateaux (l'altitude du village dépasse 2 000 m au-dessus du niveau de la mer), les gelées de printemps sont fréquentes : si elles surviennent trop tôt après les semailles, la récolte sera perdue. C'est le prêtre du soleil qui, en observant soigneusement l'élévation progressive de la position du soleil à midi, annonce le moment où la saison de plantation est arrivée.

Après une heure environ de conversations dans l'atmosphère confinée de la kiva, l'invité et les hommes grimpent sur la terrasse pour respirer l'air du soir. Au-dessus d'eux, entre les murs sombres du cañon, les étoiles brillent dans l'air sec et clair ; à leurs pieds, la falaise est vaguement éclairée par le reflet des flammes à travers les portes des maisons. Mais la température fraîchit et les villageois vont se retirer de bonne heure, se coucher sur les nattes dans la chaleur des fourrures et des couvertures en duvet de dindon.

Vers 1 200 de notre ère environ, époque de l'apogée des peuples Anasazi, le Sud-Ouest américain recélait un grand nombre de villages troglodytes aussi bien que de nouveaux pueblos, lesquels, comme le Pueblo Bonito au Nouveau-Mexique, se dressaient dans des vallées plus ou moins larges. Dans toutes ces agglomérations, on menait à peu près le même genre de vie qui n'a guère varié de celui que les Européens observèrent dans les pueblos des premières époques historiques. Mais, quelque temps avant 1 300, ce mode d'existence disparut brusquement et mystérieusement dans le Sud-Ouest. Des douzaines de communautés Anasazi et d'autres constructeurs de pueblos, toutes situées dans les régions habitées du Colorado, de l'Utah et de l'Arizona du Nord, furent abandonnées par leurs occupants. Ces villages restèrent déserts, silencieux et ignorés pendant plus de six cents ans, jusqu'à ce qu'au XIXᵉ siècle des colons blancs commencent à repérer les ruines.

Un mystère plane encore aujourd'hui sur les raisons pour lesquelles ces villages furent abandonnés. Puisque les habitations bâties sur des falaises vertigineuses, ainsi que les pueblos, ne comportaient pas de portes extérieures, cette disposition évoque une question de sécurité collective. Peut-être ont-ils été désertés à la suite d'une période d'attaques constantes qui obligèrent les villageois à la retraite. Cependant, on ne trouve aucun indice révélant un état de guerre général durant cette époque.

Une explication plus vraisemblable serait due à la sécheresse prolongée qui s'abattit sur le Sud-Ouest américain et qui dura plus d'une génération, vers la fin du XIIIᵉ siècle. Nous possédons des traces indiscutables de ce long intervalle de dessèchement qui se traduit sur les anneaux de croissance des vieux arbres par une diminution des cercles de pousse. Cette variation de climat a pu contraindre les habitants à émigrer vers d'autres régions du Sud-Ouest mieux irriguées, notamment la vallée du Rio Grande, au Nouveau-Mexique, où, au XVIᵉ siècle, les conquérants espagnols découvrirent de nombreux pueblos en pleine prospérité. Mais la sécheresse à elle seule ne donne pas une réponse satisfaisante, puisque ces habitations ne retrouvèrent jamais leurs habitants lorsque le climat fut redevenu normal. Peut-être les gens du pueblo tentèrent-ils de réoccuper leurs anciennes maisons, mais se heurtèrent-ils à d'autres immigrants indiens, plus puissants qu'eux et qui s'étaient emparés des terres.

S'il en est ainsi, de quel peuple s'agissait-il ? On pourrait penser à certaines peuplades de collecteurs du désert comme les Utes, qui avaient longtemps vécu dans le Grand Bassin, sur les confins du pays pueblo, et dont nous savons qu'ils se sont infiltrés dans le Sud de l'Utah, dans le Colorado et le Nouveau-Mexique voici 6 ou 8 siècles. Les successeurs les plus probables des pueblos semblent avoir été des tribus de chasseurs originaires des régions lointaines du Nord : les Indiens Athabascans, qui sont les

ancêtres des Navajos et des Apaches. Ces tribus ne sont pas apparentées à leurs voisins du Sud-Est. L'étude de leurs langues suggère un cousinage avec quelques-unes des tribus qui existent encore au centre de l'Alaska et dans le Nord-Ouest du Canada. Pour des motifs qui nous sont encore inconnus, et par un itinéraire que nous ignorons, ces chasseurs du Nord commencèrent à émigrer vers le Sud-Ouest au cours du XIIᵉ siècle de notre ère et ils avaient achevé leur installation dans les déserts de l'Ouest aux environs de l'an 1500.

Il est certain que les Athabascans immigrants constituaient des adversaires formidables. Ils possédaient une nouvelle arme, qu'ils tenaient peut-être des Esquimaux, un arc courbe, tendu par des boyaux élastiques, qui tirait mieux et plus loin que les modèles plus primitifs dont se servaient les habitants des pueblos. La plupart des Athabascans apprirent, s'ils ne les possédaient déjà, des rudiments d'agriculture, qui leur permirent de développer et de nourrir une population plus nombreuse que toute autre tribu fourragère du désert. Enfin, fait plus important, les Navajos et les Apaches, à l'encontre des peuples des pueblos, gens généralement pacifiques, étaient d'ardents et chevronnés guerriers comme les gouvernements espagnol, mexicain et américain devaient successivement en faire l'expérience au cours des conflits avec des chefs célèbres, tels Cochise et Géronimo. Aujourd'hui encore, les mères des Indiens Zuñis effraient leurs enfants récalcitrants en les menaçant de faire venir un Navajo qui les emportera au loin.

Dans l'Amérique ancienne, à l'ouest des Rocheuses, l'agriculture ne s'étendit jamais au-delà du Sud-Ouest. Dans la plupart des régions du Grand Bassin, les cultures à sec étaient impossibles et l'irrigation difficile. Tout au plus, sait-on que quelques tribus du désert ont utilisé des techniques d'irrigation rudimentaires pour encourager la pousse de certaines plantes sauvages dont ils récoltaient les graines. Dans la majeure partie de la Californie, l'agriculture sans irrigation n'était guère plus praticable puisque la sécheresse des étés égale presque celle du désert, tandis que les glands, qui constituent la nourriture essentielle fournie par la région, ne se prêtent pas à la culture organisée. Quoi qu'il en soit, la collecte et la cueillette étaient si aisées en Californie que l'agriculture restait superflue. Les motifs de la développer n'apparaissaient pas davantage le long de la côte nord-ouest du Pacifique, région d'abondance. A l'est des Rocheuses, cependant, l'agriculture se répandit largement, provoquant finalement la naissance de sociétés qui, par leur importance et leur complexité, soutiennent la comparaison avec les cultures contemporaines qui prospéraient dans l'Ancien Monde.

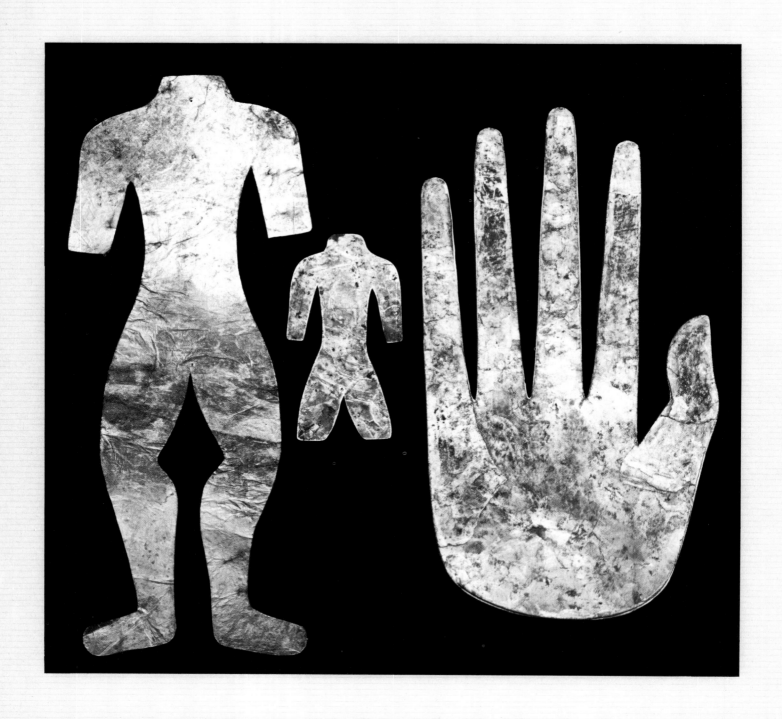

Vers la fin du XVIIIe siècle, lorsque les trappeurs, les missionnaires et les colons commencèrent à s'aventurer à travers les monts Appalaches jusque dans le Midwest, ils découvrirent la présence de centaines de monticules mystérieux qui parsemaient le pays. Parfois, il s'agissait de simples « mounds », tumulus ou tertres, de forme conique, dont la dimension et la hauteur variaient de quelques mètres à 10 m ou davantage de haut, et qui ressemblaient à des sépultures. Ailleurs, on trouvait de longs remblais (de plusieurs centaines de mètres de long parfois), qui retraçaient la forme d'oiseaux gigantesques, de géants ou de serpents au corps ondulé. Ailleurs encore, ces travaux formaient des enceintes ou bien s'élevaient au-dessus de l'horizon du pays en pyramides à pentes raides et à sommet tabulaire.

A mesure que la colonisation du pays se poursuivait, il devint clair que les tumulus ne se comptaient pas par centaines, mais par milliers : la vallée de l'Ohio, à elle seule, en contenait 10 000. Ces structures se rencontraient au nord, depuis l'ouest de New York jusqu'au Nebraska, le long de la côte du golfe du Mexique, de la Floride au Texas, et presque partout dans les pays situés entre ces limites, de l'autre côté même des monts Appalaches, jusqu'en Virginie. Certains de ces monuments possédaient des dimensions extraordinaires : près de Saint Louis, se trouvait un tumulus de plus de 30 m de haut et dont la superficie couvrait 7 hectares; ailleurs, de grandes levées de terre délimitaient des enceintes d'une superficie atteignant 100 hectares et sillonnées d'avenues de plusieurs kilomètres de long.

Quels étaient donc les auteurs de ces remarquables travaux? Les Indiens, interrogés par les premiers explorateurs blancs avouèrent leur ignorance à ce sujet. En outre, des arbres avaient grandi sur certains tertres; ils avaient plusieurs siècles d'âge, ce qui prouvait qu'au cours de centaines d'années le contenu de ces tumulus

Découpées dans du mica transparent à l'aide d'outils de silex tranchants comme des rasoirs, ces silhouettes délicates ont été retrouvées dans la tombe d'un Indien, mort voici quelque 1 500 ans dans l'Ohio, à 600 kilomètres du plus proche gisement de mica. Ce minéral fragile n'était que l'un des nombreux articles au commerce desquels se livraient sur de longues distances les Indiens appelés Mound Builders; apparemment, le mica était utilisé pour décorer les costumes de cérémonies.

n'avait pas été bouleversé. Alors naquit le mythe des constructeurs de tumulus (Mound Builders), race mystérieuse qui aurait donné naissance à une civilisation dans les solitudes américaines; cette civilisation devait, par la suite, être renversée et exterminée par les Indiens. Le poète romantique William Cullen Bryant résume cette théorie fantaisiste dans son ouvrage « Les Prairies » qui fut publié en 1832. Étudiant les « monticules imposants », il déclarait :

Une race, qui a depuis longtemps disparu,
Les a construits; — c'était une race prospère et
disciplinée...
Ces vastes champs
Portaient leurs récoltes et nourrissaient leurs troupeaux.
A cette époque peut-être le bison était-il domestiqué,
Et courbait-il sa crinière sous le poids du joug.
Mais alors
L'homme rouge vint —
Et, avec lui, les tribus guerrières et féroces de chasseurs,
Et les mound builders disparurent de la surface de la
planète.

Cependant, même avant que naquît et que se répandît la légende des Mound Builders, d'aucuns commencèrent à prendre conscience de la réelle identité des auteurs de ces immenses travaux. Des écrivains, comme le naturaliste du XVIIIe siècle William Bartram, qui avait étudié les tumulus au cours de ses voyages en Géorgie et en Floride, et Thomas Jefferson, qui avait lui-même fouillé un tumulus en Virginie, étaient persuadés qu'ils avaient été bâtis par les Indiens. Dès le début du XVIe siècle, si l'on en croit un récit de l'époque, l'Espagnol Hernando de Soto découvrit que les Indiens habitant la région du golfe du Mexique construisaient des « hauts lieux » pour les maisons destinées à leurs chefs et dignitaires, « à la force de leurs bras, en accumulant d'énormes quantités de terre et en tassant énergiquement celle-ci jusqu'à former un tumulus de 9 à 14 m de haut ».

Cependant, ces opinions et ces faits furent longtemps obscurcis par la légende qui attribuait les tumulus à des immigrants venus de pays aussi divers que la Scandinavie, le Proche-Orient et même la Malaisie. Il fallut atteindre la fin du XIXᵉ siècle pour que l'on reconnût la véritable origine des auteurs de tumulus. Vers 1887, Cyrus Thomas, qui appartenait au Bureau d'Ethnologie de la Smithonian Institution, résumait ainsi ses fouilles intensives des divers tumulus : « Les découvertes ont fait apparaître des rapports reliant directement les Indiens aux constructeurs de tumulus; le fait est si bien établi par tant d'exemples que l'on ne peut plus hésiter à accepter la théorie suivant laquelle ces deux peuples ne faisaient qu'un. » Il continue : « Une étude des fouilles pratiquées en Ohio et de leur contenu devrait convaincre l'archéologue qu'il s'agit d'ouvrages réalisés par de nombreuses tribus différentes et qui s'étendent sur des périodes largement espacées. » Cela signifie qu'il n'existe pas de race ou de civilisation typique de Mound Builders proprement dite, mais plutôt qu'un certain nombre de peuples différents se succédèrent au cours d'une longue période et construisirent indépendamment leurs « mounds ».

Dès qu'elle commença à se faire jour, la réalité apparut, aussi remarquable que l'était le mythe des Mound Builders lui-même. Certains de leurs établissements formaient des cités étendues et perfectionnées, habitées par des commerçants et des fabricants qui pratiquaient des échanges actifs sur la plus grande partie du continent nord-américain. Ces peuples produisirent une culture — urbaine, riche et complexe, bien que cruelle, fanatique et régie par des castes fermées. Ce fut la société indienne la plus avancée que connut l'ancienne Amérique du Nord.

Les fouilles révélèrent que les ingénieurs indiens qui conçurent ces structures et que les populations qui les élevèrent « à la seule force des bras » avaient agi pour des motifs très différents. Certains « mounds » constituaient assurément des sépultures et même, dans certains cas, ces cimetières renfermaient plusieurs centaines de tombes qui contenaient des offrandes funéraires

Les premiers Mound Builders, connus sous le nom d'Adenas, laissèrent en témoignage de leur présence et de leurs coutumes cette pipe de cérémonie (longueur : 25 cm, ancienneté : 2 000 ans), qui fut découverte dans l'Ohio en 1901. Le personnage sculpté représente un nain qui porte des rouleaux dans ses oreilles et dont le cou épais semble être déformé par un goitre. On croit que les Adenas honoraient les individus difformes.

macabres et compliquées. Par contre, certaines constructions de terre furent d'abord conçues comme remparts sur des sites fortifiés ou encore pour reproduire à très grande échelle l'effigie d'oiseaux ou d'autres créatures; elles semblent avoir été le centre de rites funèbres. Des traces de poteaux, de murs et de toits écroulés retrouvées au sommet de nombreux tertres pyramidaux prouvent que ceux-ci étaient surmontés de temples et de bâtiments officiels.

La somme de travail et le nombre d'heures de main-d'œuvre qui furent nécessaires pour élever de telles constructions ont dû être stupéfiants. Ainsi, par exemple, le gigantesque « mound » qui est situé dans la banlieue de Saint Louis atteint 30 m de haut et couvre une superficie de 7 hectares. Il représente un volume que l'on a estimé à plus de 600 000 mètres cubes de terre, dont chaque livre fut apportée à dos d'homme, panier par panier, et hissée de plus en plus haut à mesure que s'élevait le monticule.

Les plus récentes études portant sur les « mounds », dont certaines datent du début des années 70, éclairent d'une manière encore plus étonnante la personnalité de leurs auteurs. Certaines communautés de l'époque englobaient une population de plusieurs dizaines de milliers d'âmes; celles-ci se livraient à une agriculture intensive et produisaient sur une large échelle des biens de consommation et de luxe, tandis que leurs sociétés, complexes et hiérarchisées, pratiquaient une vie de cérémonies élaborées. Bien que les Mound Builders n'eussent pas été aussi riches et aussi nombreux que les Mayas et les Aztèques, au cours des siècles qui précédèrent l'arrivée de Christophe Colomb, la dernière de leurs cultures était parvenue à un point de civilisation très avancée, au milieu des forêts du Midwest.

Le premier de ces peuples constructeurs de tumulus fut celui que l'on a appelé Adena, du nom d'un lieu situé près de Chillicothe, dans l'Ohio, où des « mounds » impressionnants furent fouillés en 1901. C'est peu après 600 ans avant notre ère que les Adenas se mirent à ériger des tertres funéraires coniques, dont la plupart étaient entourés de grandes levées de terre battue et auxquels conduisaient de longues avenues enserrées de façon analogue. Ces structures semblent avoir été reliées à des cérémonies pratiquées par les Adenas, qui comprenaient un oiseau sacré dont l'image, gravée en bas-relief sur des tablettes de pierre, a été retrouvée à maintes reprises dans les tombes Adenas. Ces sculptures sont hautement stylisées et l'oiseau Adena pouvait prendre la forme d'un faucon, d'un aigle ou d'un vautour. Cette dernière hypothèse serait sans doute la meilleure, puisque certains squelettes Adenas semblent avoir été inhumés seulement après avoir été dépouillés de leur chair : on suppose que les corps étaient préalablement exposés aux vautours; cette pratique peut avoir conduit à vénérer ces oiseaux qui représentaient les esprits régnant sur le passage de l'homme mort dans l'au-delà. Cependant, en y mettant un peu d'imagination, l'oiseau Adena peut être vu comme un dindon.

Les spécialistes pensaient autrefois que les Adenas occupèrent la vallée de l'Ohio après avoir émigré du Mexique. C'étaient des êtres brachycéphales si l'on en juge par les crânes découverts dans les tombes, alors que les peuples qui les ont précédés dans le pays étaient dolicocéphales. Leur « burial mounds », ou tertres funéraires de forme conique, ressemblent à certains tumulus du Mexique. Mais il existe un argument que l'on avance contre la théorie de l'immigration : les Adenas semblent avoir développé leur société avant de cultiver vraiment le maïs, plante qui fut à la base des civilisations mexicaines.

Une théorie plus récente et plus vraisemblable soutient que les Adenas ont pu tout aussi bien être des peuples indigènes originaires du Midwest qui auraient évolué d'ancêtres vivant de cueillette à la période archaïque, et que la civilisation Adena se développa d'abord sans agriculture. Le mode de vie Adena reposait tout d'abord sur ce que l'on appelle parfois une économie proto-agricole : il s'agit d'un système élaboré de cueillette et de fourragement de la nourriture qui s'était développé parmi les peuples collecteurs, lesquels vivaient à l'est du Mississippi dès 2000 avant notre ère. Cette économie se fondait sur une exploitation intensive de quelques-unes seulement des espèces de plantes et d'animaux disponibles, par exemple le cerf, les poissons et les noix. A elles seules,

ces trois variétés de nourriture, complétées par une faible quantité de plantes vertes ou de fruits sauvages qui fournissaient la vitamine C, ont pu suffire à faire vivre une population à peu près sédentaire. Nous possédons des indices suggérant que les Adenas ont pu pratiquer une agriculture rudimentaire en améliorant la gousse du maïs et d'autres variétés indigènes telles que le tournesol et la gourde. Il est presque certain qu'ils se nourrirent de ces produits; mais on ne peut déterminer avec exactitude s'ils les produisaient systématiquement en plantant des graines à dessein, ou s'ils se contentaient de récolter régulièrement ces plantes, lesquelles croissaient à l'état sauvage dans les endroits favorables.

La fin de la domination des Adenas dans la vallée de l'Ohio, qui date de deux siècles environ avant l'ère chrétienne, nous reste aussi mal connue que leurs origines. Les Adenas furent supplantés, refoulés, absorbés ou anéantis par des groupes de Mound Builders largement répandus auxquels on a donné le nom collectif de peuple de Hopewell; ce vocable provient d'un certain Hopewell qui possédait dans l'Ohio une ferme où un tumulus fut étudié. Comme les Adenas, les Hopewells furent peut-être originaires de leur habitat final, c'est-à-dire du Sud de l'Ohio (mais leur origine peut être tout autre!) Quoi qu'il en soit, ces individus étaient dolicocéphales et non pas à crâne rond comme les Adenas.

Le trait commun qui unit les diverses communautés de Hopewells ne résulte pas tant des traits physiques que de leur mode de vie. En effet, ces nombreux Mound Builders étaient nettement plus riches et plus avancés que les Adenas. Non seulement les Hopewells édifièrent des tumulus plus importants ainsi que d'autres travaux de terrassements, mais leurs sépultures étaient considérablement plus fournies en parures personnelles de défunts, et autres offrandes.

Vestiges des Hopewells, Mound Builders qui connurent leur apogée vers le début de l'ère chrétienne, ces trois figurines peintes en céramique représentent des femmes dans leurs activités quotidiennes. La femme assise à gauche est accroupie à la manière des Sioux modernes, les deux jambes repliées de côté. La figurine centrale tient un enfant accroché à son dos et la troisième allaite son nourrisson.

L'économie Hopewell semble d'ailleurs originale. Ces peuples ne furent pas de simples collecteurs de nourriture ou de simples fermiers, mais ils se distinguèrent par de nombreux caractères de véritables hommes d'affaires. Ils tiraient leurs richesses d'un système de commerce à grande distance — et même d'une sorte d'artisanat local — pratiqué plus particulièrement par ceux des Hopewells qui habitaient la vallée de la rivière Scioto, au sud de l'Ohio. Certes, des liens commerciaux existaient sans doute depuis des siècles entre les tribus de l'Est : le cuivre provenant de l'île Royale et de la péninsule de Keweenaw sur le lac Supérieur circulait à travers le Midwest depuis 3 000 avant notre ère environ; à cette époque, les Indiens riverains du lac fabriquaient par martelage des outils dans des noyaux bruts de cuivre à l'état natif; des coquillages marins utilisés comme perles et autres parures s'échangeaient à travers le continent depuis l'Atlantique sud et les côtes du golfe du Mexique. Mais il ne s'agissait pas de commerce à proprement parler : ces objets de valeur se transmettaient de tribu à tribu, à des mois et même des années d'intervalle. Par contre, les Hopewells de Scioto semblent avoir été des commerçants organisés et au moins semi-professionnels; ce sont les premiers que l'on rencontre à l'est, et peut-être même les plus anciens qui apparurent au nord du Mexique.

La situation géographique du pays Scioto convenait particulièrement au commerce. Plus loin au nord, accessible par de faciles portages, s'étend le système formé par les rivières Sandusky et Maumee qui conduisent au lac Érié et, de là, à travers le lac Huron, on accédait au territoire des tribus qui extrayaient le cuivre sur les bords du lac Supérieur. A l'est du lac Érié se trouve le lac Ontario qui ouvre le chemin aux vallées du Saint Laurent, du Mohawk et de l'Hudson. En suivant la rivière Scioto vers l'aval, on trouve l'Ohio, rivière dont les affluents tels que le Kanawha et le Big Sandy permettaient d'atteindre les monts Appalaches, où l'on extrayait le mica. En descendant le cours de l'Ohio, on parvenait jusqu'au Mississippi, voie navigable par laquelle s'effectuait le transport des coquillages vers le nord en provenance du golfe du Mexique. Plus loin vers l'ouest, en remontant le Missouri, on atteignait les Rocheuses, région qui fournissait les dents d'ours grizzli utilisées comme parures, et peut-être également les pierres d'obsidienne dans lesquelles les hommes de Scioto façonnaient des couteaux aiguisés et des pointes de lances.

Dans le territoire Scioto lui-même, les Hopewells extrayaient une variété spéciale de silex : cette pierre provenait d'un énorme gisement appelé aujourd'hui Flint Ridge (colline du silex) et on a retrouvé jusqu'au littoral atlantique des États-Unis des outils taillés dans cette matière. Autre production locale, citons une pierre à grain fin qui servait à fabriquer des pipes; en effet, les hommes de Scioto sculptaient des pipes qui ont été découvertes loin à l'ouest dans le Iowa et vers l'est jusqu'à la région de New York. Ces pipes, ainsi que les outils taillés dans le silex local, révèlent que certains peuples de Scioto travaillaient pour l'exportation. Il est possible que les hommes de Scioto aient également exporté et peut-être même cultivé le tabac pour alimenter les pipes qu'ils avaient sculptées. Au début de la période historique, on connaît avec certitude au moins une tribu de l'Ontario qui était spécialisée dans la culture du tabac avec un succès tel que ce peuple avait reçu le nom d'Indiens du tabac, tandis que les tribus du Michigan supérieur, région du cuivre, ne cultivaient pas cette plante, mais s'en procuraient par commerce et par troc.

Les marchands de Scioto n'étaient pas nécessairement contraints de voyager jusqu'au lac Supérieur, au golfe du Mexique ou aux lointaines Rocheuses. Sans doute des articles en provenance de ces régions se transmettaient-ils de tribu à tribu le long d'un réseau de voies commerciales au centre duquel habitaient les Scioto. On peut penser cependant, que les marchands de Scioto n'attendaient pas que les clients vinssent à eux, mais qu'ils liaient des relations d'affaires avec des tribus ou d'autres marchés locaux situés parfois à plusieurs centaines de kilomètres de chez eux. La richesse des preuves archéologiques que l'on a découvertes sous leurs tumulus et aux alentours, dans les divers monuments de terre, nous permet d'imaginer aisément comment se présentait une expédition commerciale des Scioto. Celle-ci partait, par exemple, d'un de leurs villages situés aux environs de ce qui est aujourd'hui la ville de Chillicothe dans l'Ohio.

Les voyageurs se mettaient en route sans doute au début de l'automne, lorsque des pleins paniers de tournesols, de pattes-d'oies, de sureaux des marais et de graines d'amaranthe, récoltés sur les terres plates en bordure de la rivière Scioto, étaient déjà emmagasinés dans des puits de réserve sous les différentes maisons du village. Les hommes de Scioto s'embarquaient sur une flottille de 5 ou 6 canoës-pirogues qui étaient creusés dans des troncs de chêne à l'aide d'outils en bois de cerf; les charpentiers utilisaient également le feu et les outils de pierre. Les plus grandes de ces embarcations, qui atteignaient 8 m de long et environ 1,20 m de large, exigeaient un équipage de 6 pagayeurs, outre le capitaine qui était généralement le chef de l'expédition et qui pouvait également être le chef du village. L'équipage se composait de jeunes garçons de rang social modeste qui s'étaient engagés partie par soumission traditionnelle à leur chef, partie pour les cadeaux qu'ils recevraient en échange de leurs services, et aussi par esprit d'aventure. Outre leurs bracelets de cuivre, leurs colliers et les pectoraux ornementaux que portaient les capitaines de canoës d'un rang plus élevé, les hommes étaient vêtus d'un costume Scioto uniforme : une sorte de pantalon tissé en fibres végétales sauvages et décoré au moyen d'un procédé de teinture par bains successifs rappelant le batik; pour ce voyage d'automne, cependant, les navigateurs emportaient des manteaux de fourrure en prévision du mauvais temps. Et, s'ils suivaient les coutumes que l'on a plus tard observées chez les tribus indiennes, le visage de ces hommes devait être peint de couleurs diverses dont le schéma indiquait le rang de chacun ainsi que l'objet pacifique de la mission qu'ils entreprenaient. Peut-être l'expédition emportait-elle des rations alimentaires de secours constituées par quelques sacs de peaux remplis de tournesol grillé et de graines de patte-d'oie mais, pour l'essentiel, les équipages allaient vivre sur les ressources des pays traversés.

L'essentiel de la cargaison consistait en objets à échanger : plaques de mica qui avaient été rapportées l'année précédente d'un voyage entrepris en remontant la rivière Kanawha jusqu'aux monts Appalaches; des noyaux de silex provenant des carrières de Flint Ridge; des morceaux de pierre à pipes bruts; une douzaine de pipes soigneusement sculptées; enfin, des dizaines de livres de feuilles de tabac séchées attachées en ballots et recouvertes de peaux de bêtes contre la pluie.

Un voyage typique de ces commerçants commençait en descendant le cours du Scioto; sous leurs yeux, défilaient les bancs de sable couverts d'aulnes, de saules et les basses terres où poussaient les cannes à hauteur d'homme, puis venaient les hauteurs couronnées de forêts de hêtres, de chênes, d'hickorys, de noyers et d'érables. De temps à autre, les pagayeurs dépassaient des villages d'hommes de leur race, et alors des souhaits, des plaisanteries et des railleries amicales fusaient sans doute entre les gens de la rive et les équipages. A la tombée de la nuit, les voyageurs faisaient halte dans l'un des villages ou, à défaut, ils abordaient et partaient chasser le gibier disponible — la plupart du temps le cerf — et ils campaient alors sur la berge. Trois jours de voyage amenaient l'expédition au confluent du Scioto et des eaux majestueuses de l'Ohio qui atteint à cet endroit plusieurs centaines de mètres de large. La navigation sur l'Ohio vers l'aval durait encore une quinzaine de jours en dépassant les confluents d'une douzaine de tributaires — les rivières Licking, Miami et Kentucky, entre autres. Les voyageurs atteignaient alors le point où la rivière Wabash rejoint l'Ohio.

Une journée encore de pagayage vigoureux en remontant la Wabash vers le nord amenait ces marchands à leur destination : c'était un autre centre d'échanges, moins élaboré que leur propre communauté, où se tenait une sorte de foire annuelle. Des marchands et des hommes des tribus, venus de plusieurs centaines de kilomètres à la ronde, s'y réunissaient. Sur ce marché s'échangeaient toutes sortes de biens de consommation qui avaient été fabriqués au cours de l'année précédente. La plupart de ces objets avaient déjà changé de mains une demi-douzaine de fois. C'est ainsi qu'une pirogue qui avait remonté l'Ohio, puis la rivière Wabash, apportait quelques douzaines de coquilles de moules qui avaient été transportées le long du Mississippi, depuis le golfe du Mexique. D'autres peut-être amenaient une cargaison de couteaux et de pointes de lances en cuivre qui avaient

suivi un itinéraire beaucoup plus complexe : ces marchandises avaient d'abord été chargées sur des canoës d'écorce de bouleau, qui naviguaient sur le lac Supérieur, franchissaient les détroits de Mackinac pour passer dans le lac Michigan puis, à l'extrémité est de ce lac, traversaient Green Bay, s'engageaient dans l'étroite rivière Fox; là, les sacs étaient déchargés et franchissaient par portage les pistes forestières dont le souvenir est évoqué par la ville actuelle de Portage, dans le Wisconsin; en pirogue, cette fois, les marchands descendaient la rivière Wisconsin, puis rejoignaient le cours du Mississippi jusqu'au confluent de l'Ohio. De là, en remontant le cours de cette rivière, puis la Wabash vers le nord, ils atteignaient la localité où se tenait la foire.

Parmi la dizaine de tribus dont les représentants se rencontraient sur le marché, personne ou presque ne comprenait, et encore moins ne parlait, plus de quelques mots du langage des autres; cependant, les communications par signes suffisaient pour les besoins communs de l'achat et de la vente. Lorsque les opérations commerciales de la journée prenaient fin, autour des feux de campements se livraient des matches d'un jeu que l'on pourrait appeler « la tasse et l'aiguille » : les joueurs devaient, par une habile chiquenaude, projeter une aiguille d'os dans un but représenté par un récipient conique fait d'un os d'orteil de cerf. Ce jeu constituait un moyen de redistribution des biens sans doute aussi efficace que les marchandages de la journée : en effet, ces peuples marchands, comme la plupart des Indiens, étaient des joueurs invétérés et tentaient leur chance à un point tel qu'une série de coups défavorables leur coûtait une cargaison entière. Si, à l'occasion, des malentendus ou l'échauffement des esprits provoquaient des querelles parmi les hommes les plus jeunes, celles-ci étaient rapidement apaisées par les chefs; en vertu d'une vieille tradition, ce lieu d'échanges était respecté comme un endroit de trêve et c'était encourir la colère des esprits que de rompre cet usage.

En l'espace de 5 jours environ, l'expédition des Scioto avait troqué toutes ses cargaisons contre des coquillages et du cuivre; les hommes se préparaient alors à rentrer dans leur pays. Ils y colportaient des histoires merveilleuses et suffisamment exagérées, où il était question

des peuples et des choses étranges rencontrés en route ; les voyageurs rapportaient de pleins canoës des marchandises précieuses qu'ils avaient acquises. Ainsi le prochain chef qui viendrait à mourir pourrait-il recevoir des funérailles dignes de lui.

Les preuves de la richesse que ce commerce procura aux communautés de Scioto se retrouvent abondamment à l'intérieur de ces monticules où ces peuples enterraient les personnages les plus importants dans des tombes à armature de bois. Dans ces sépultures, on a découvert non seulement les pointes de flèches et les outils qui accompagnaient le défunt, mais également des parures et des pectoraux de cuivre martelé, des couteaux d'obsidienne délicatement façonnés, de petits personnages

découpés en silhouettes dans des feuilles de mica, des coquilles de moules gravées de représentations d'hommes et d'animaux. Certains des squelettes d'hommes de Scioto que nous avons exhumés étaient recouverts de milliers de perles d'eau douce ; il s'agit apparemment des restes d'un vêtement ou d'une couverture de cérémonie dont les perles constituaient la décoration.

Cependant, toutes les richesses retrouvées sur les sites de Scioto ne concernent pas le commerce ; certaines attestent le développement culturel qu'avaient atteint les commerçants eux-mêmes. Des pipes de pierre locale avaient été artistement sculptées en forme de tête humaine ou d'animal dans un style très vivant par les artisans de Scioto. La poterie de ces peuples reflète également une

Le fait que les Mound Builders de la culture avancée du Mississippi possédaient un sens développé de l'humour est évident lorsque l'on voit ces caricatures aux visages ronds, bouteilles de céramique fabriquées en forme de têtes. D'un diamètre d'environ 15 cm, ces poteries sont peintes à l'ocre et les oreilles sont percées de trous par où passaient des lanières qui servaient à transporter ou à suspendre l'objet. Les lignes qui ont été tracées sur les lèvres du personnage central étaient très probablement des motifs de décoration.

technique artisanale et une imagination remarquable dans la forme et la décoration. Au lieu de peindre leurs poteries, comme c'était l'usage chez les Indiens du Sud-Ouest des États-Unis et chez les peuples d'Amérique centrale, les gens de Scioto réalisaient leurs dessins par la sculpture en faisant varier la texture du matériau de base; fréquemment, un motif de dessin poli ressortait sur un fond rugueux. Un élément décoratif qui se retrouve fréquemment dans la poterie de Scioto représente un oiseau qui rappelle le vautour d'Adena.

Outre les pipes sculptées et la céramique quasi sculpturale, la civilisation de Scioto et des autres Hopewells produisit des sculptures proprement dites : ce sont de petites figurines de céramique qui nous apprennent la

manière dont ces peuples disparus s'asseyaient, se tenaient et s'habillaient. Ainsi, une femme assise avec les deux jambes repliées de côté porte seulement une jupe à mi-longueur et allaite son enfant *(page 130);* une autre se dresse impassible sous une coiffure sophistiquée : sa longue chevelure descend dans le dos en une sorte de tresse; autour de son cou pend un collier en forme de croissant et de larges bandes de perles (qui ne sont peut-être que des tatouages) décorent ses poignets, ses avant-bras et ses chevilles. Ailleurs, un petit homme agenouillé, vêtu d'une sorte de pantalon, tient à la main une massue de guerre (qui est peut-être une houe).

Ce fut autour des années 500 de notre ère que survint

la décadence après l'ère de prospérité qui avait marqué les civilisations de Hopewell en général et celle de Scioto en particulier. La construction des grands ouvrages de terre cessa et les offrandes déposées dans les tombes des défunts devinrent grossières et plus rares. Nous ignorons la cause exacte de ce déclin. Comme il n'existe aucune trace de conflit ou d'invasions étrangères, l'explication la plus vraisemblable pourrait être une modification qui survint dans les itinéraires commerciaux dont les peuples de Scioto avaient si habilement profité durant des siècles. De nouveaux peuples, qui apparurent sur les confins du Mississippi inférieur, ont peut-être su accaparer la fourniture des coquilles de moules, ce qui désorganisa tout le réseau d'échanges dont ces articles constituaient l'élément essentiel.

Ces peuples, que l'on a appelés « Civilisations du Mississippi », se répandirent finalement sur la majeure partie de l'immense bassin de ce fleuve, depuis la Louisiane jusqu'au Wisconsin, et de l'Oklahoma à l'Alabama et au Tennessee. C'est ainsi qu'aux alentours de 1 200 après J.-C., s'était développée l'une des cultures les plus remarquables de l'ancienne Amérique. Quel que soit le critère retenu — richesses, population, complexité de la société, avance technologique et artistique, — les peuples du Mississippi avaient dépassé toutes les autres civilisations indiennes qui existèrent au nord du Mexique. Leurs sociétés vigoureuses se maintinrent, sous une forme ou sous une autre, assez longtemps pour être observées par Hernando de Soto et d'autres explorateurs européens de l'ère des découvertes.

A la différence des autres Mound Builders qui les avaient précédés, les peuples du Mississippi semblent avoir fortement subi l'influence du Mexique, ce qui s'expliquerait par les échanges commerciaux ou les expéditions guerrières d'autres peuples venus de la côte atlantique mexicaine. Non seulement les tumulus érigés par les

Une femme agenouillée provenant d'une tombe du XIIIe siècle découverte dans le Tennessee, nous montre, de face et de dos la mode de cette époque du Mississippi : un bandeau, des cheveux nattés et un court tablier. De nombreuses œuvres de cette période reproduisent les mêmes bras décharnés. Les trous percés au creux des bras et des poignets du personnage servaient à passer des lanières ; les perforations des oreilles ont pu être décorées de plumes ou de pendentifs.

gens du Mississippi rappellent l'architecture mexicaine, mais l'élément essentiel de leur mode de vie assez avancé qui reposait sur l'agriculture intensive du maïs, des haricots et des gourdes, pourrait également résulter d'une importation. Leurs souches de maïs étaient nettement plus productives que toutes les autres graines qui ont été retrouvées dans les régions où se dressent les tumulus; ces épis sélectionnés découlent presque certainement de graines améliorées d'origine mexicaine. Ce fut après l'an 1 200 de notre ère que l'influence du Mexique s'affirma car, à l'époque, les sculptures et la poterie commencèrent à présenter des décorations de serpents à plumes rappelant le dieu aztèque Quetzalcoatl.

Cependant, les cultures du Mississippi n'égalèrent jamais complètement le niveau des fameuses civilisations du Sud. Elles ignorèrent toujours l'écriture qui reste l'une des marques essentielles d'une véritable avance culturelle. Mais, par bien des côtés, elles se confondirent et rivalisèrent presque avec les civilisations mexicaines. Les plus grands établissements du Mississippi, tels que le site de Cahokia (dont les vestiges sont actuellement conservés dans les limites du parc d'état des mounds de Cahokia situé à l'est de la ville moderne de Saint Louis, au sud de l'Illinois), formaient le cœur de cités-états dont la population dépassait 20 000 âmes. Cette importance permet de les comparer aux anciens centres culturels du Vieux Monde tels que la civilisation d'Our en Mésopotamie, ou celle de Mohenjodaro en Inde.

Les grands mounds à sommet tabulaire sur lesquels les peuples du Mississippi bâtissaient leurs temples soutiennent également la comparaison avec les gigantesques pyramides qu'édifièrent indépendamment les Égyptiens et les civilisations du Mexique et de l'Amérique centrale. Les structures de la culture du Mississippi restaient véritablement monumentales. Le plus grand tumulus de Cahokia atteint une hauteur de plus de 30 m, et sa base recouvre une superficie égalant plusieurs fois celle de la grande pyramide d'Égypte, couvrant près de 6 ha; ses dimensions ne sont dépassées en Amérique que par la pyramide du Soleil, située près de Mexico, et par la grande pyramide voisine de Cholula. A proximité du mound géant de Cahokia subsistent encore 80 monuments du même genre, sans compter les quelque 40 autres qui ont été rasés par les fermiers blancs.

Ces grandes agglomérations humaines et leurs tumulus monumentaux démontrent chez ces gens du Mississippi non seulement le succès, mais également la spécialisation de leur artisanat et de leurs industries. La complexité de leur poterie, de leur sculpture sur pierre et de leur travail du métal (celui-ci se limitait au martelage de pépites de cuivre naturel brut sans fonte de minerai) suggère la participation d'artisans professionnels et chevronnés. Leur production ne se limitait pas aux articles de luxe. Une communauté du Mississippi située près de Cahokia exploitait des mines d'un silex noir, ou chert, qui servait à fabriquer des couteaux et des lames de houes. Grâce à une autre technique spécialisée, ces gens exploitaient par évaporation le sel des eaux fournies par les sources salées du voisinage; cette denrée fut sans doute en consommation croissante parmi des peuples dont le régime alimentaire consistait davantage en plantes végétales douces qu'en viande. Les archéologues ont exhumé des fragments de récipients de grande taille, plats, en argile, dans lesquels la saumure était chauffée pour évaporation sur des foyers. De tels fragments se retrouvent par milliers, ce qui suggère l'existence à l'époque de raffineries importantes et bien équipées qui produisaient régulièrement des quantités de sel. Parce qu'une métropole, même aussi importante que le fut Cahokia, n'aurait pu consommer une telle quantité de sel, on en déduit que cette denrée était non seulement destinée au commerce local, mais aussi aux échanges qui se pratiquaient vers l'amont et l'aval du fleuve, avec un certain nombre de communautés du Mississippi.

De nombreuses grandes agglomérations des peuples du Mississippi semblent avoir constitué des bases militaires aussi bien que des centres commerciaux; ces grandes cités que ces forteresses contrôlaient peuvent avoir eu pour fondateurs des bandes de guerriers conquérants qui finirent par réduire en servage la population locale. Une communauté située en Louisiane était complètement entourée par un fossé qu'alimentait l'eau du Mississippi; Cahokia lui-même était un site bien fortifié par une palissade de robustes madriers que renforçaient des bastions du haut desquels les archers de la ville pouvaient cribler de flèches les attaquants. De telles fortifications rappellent étrangement ces tertres de terre couronnés par des châteaux de bois et entourés de fortes palissades du haut desquelles les Normands qui conquirent l'Angleterre, à peu près à la même époque, surveillaient leurs turbulents vassaux saxons.

Cahokia, qui a fait l'objet de nombreuses études depuis 150 ans et qui fut méthodiquement fouillée depuis les années 20, représentait à n'en pas douter l'une des principales villes des peuples du Mississippi. Au faîte de sa richesse et de sa puissance, c'est-à-dire aux environs de 1 100 de notre ère, la cité dominait une région dont la superficie était approximativement égale à celle de l'État actuel de New York. La ville était construite sur un bras du Mississippi aujourd'hui asséché, au milieu d'une zone urbaine qui s'étendait sur une vingtaine de kilomètres le long des deux rives du fleuve, en aval et en amont. La palissade d'enceinte était faite de forts madriers dressés étroitement les uns contre les autres et joints par une couche d'argile. A intervalles de 30 m environ, des bastions rectangulaires construits sur le même principe flanquaient la palissade à l'extérieur; chacun comportait un plancher surélevé d'où les archers de la défense pouvaient dominer l'ennemi en tir plongeant. Les portes de la ville étaient barrées par des murs en chicane et par une avancée à coude rectangulaire de la palissade, dispositif qui obligeait les attaquants à assaillir les portes latéralement et non de face. Ces chicanes, non seulement ralentissaient l'ennemi, mais exposaient les assaillants à un feu plongeant à revers, dirigé du haut de la muraille principale gardée par les défenseurs.

A l'intérieur de l'enceinte ainsi définie, la vie quotidienne de Cahokia était concentrée sur la place du marché, laquelle se situait sans doute dans la partie occidentale de la ville, à proximité des berges du fleuve. C'est là que débarquaient les lames de pierre pour les houes, ainsi que les paniers de sel provenant des centres de manufacture et de raffinage qui se trouvaient à 80 km en aval; sur ces quais, s'entassaient les fourrures, les peaux d'élans, la viande séchée et les pépites de cuivre brut provenant du Wisconsin, à quelque 600 km de là. La plupart des

Taillées voici cinq siècles, ces deux pipes appartenaient à des chasseurs de trésors qui violèrent un tumulus d'Oklahoma en 1933 puis le firent sauter. Le personnage malicieux de droite se penche sur un cerf; l'homme agenouillé porte de lourds bracelets aux bras et aux jambes.

Le mound du Grand Serpent qui fait près de 400 m de long se dresse aux environs de Cincinnati; c'est un vestige des mystérieux Adenas, les plus anciens des constructeurs de tumulus. Ces peuples enterraient leurs morts dans des tombes garnies de bois et creusaient des bassins crématoires au centre de tumulus à effigie comme celui-ci; d'autres monuments du genre affectent la forme d'un aigle, d'un ours ou encore d'un alligator.

marchandises offertes sur le marché représentaient les fabrications des ateliers éparpillés dans la ville, où les artisans de Cahokia travaillaient tant pour la consommation locale que pour l'exportation. On y voyait non seulement des fabricants d'outils, des tanneurs, des potiers, des tisserands, mais aussi des orfèvres qui martelaient des parures sur du cuivre importé, tandis que d'autres gravaient des motifs sur des coquillages provenant du golfe du Mexique; enfin, d'autres encore confectionnaient des colliers de perles en perçant ces coquilles à l'aide de pointes de bois dur et de sable fin. En certaines grandes occasions, l'animation de la ville à Cahokia désertait le marché et les boutiques actives pour se manifester sur les nombreuses et larges places de la ville qui devenaient le théâtre de festivals ou de jeux du genre « paris »: il s'agissait d'un sport dans lequel les joueurs jetaient un lourd disque de pierre devant eux puis ils lançaient un javelot en essayant de deviner et d'atteindre l'endroit exact ou le disque de pierre terminerait sa course.

Pourtant, le caractère remarquable de Cahokia ne tenait ni à ses remparts de protection, ni à ses places, ni à son marché, mais aux nombreux mounds de toutes dimensions qui s'élevaient au-dessus de la ville. Certains des plus petits étaient des magasins où l'on stockait le maïs et les récoltes, tandis que les tertres les plus larges servaient de plates-formes de construction aux demeures des principaux citoyens de la ville. Pour les habitants de Cahokia appartenant aux classes supérieures, le fait de posséder une maison au sommet d'un tumulus était un signe de richesse et de statut social très convoité.

Les tumulus les plus grands et les plus impressionnants étaient réservés à des buts moins pacifiques. L'un d'eux, pyramide tronquée qui se dressait non loin de la porte sud-ouest de la ville, était le lieu traditionnel des sacrifices et autres cérémonies religieuses; un mound de forme conique qui s'élevait à proximité abritait les tombes des plus illustres défunts de la ville.

Écrasant tous les autres de sa masse, le grand mound à degrés servait de centre politique et religieux à Cahokia. Long de plus de 300 m, large de 250, il formait un entassement d'énormes marches. Sur la plate-forme supérieure, dominant la ville de 30 m, se dressait un temple bâti en madriers et claies couronné d'un toit de chaume à pente aiguë. De ce point culminant, le grand prêtre de Cahokia pouvait observer une autre structure située à l'extérieur des murs de la ville, mais qui tombait également sous sa juridiction : un énorme cercle de poteaux formant une circonférence de 30 m et dont les prêtres usaient comme d'un calendrier et observatoire solaire combinés. Là, assis sur un poteau placé à proximité du centre du cercle, un prêtre observait continuellement le rythme des saisons. En notant chaque jour la position du soleil par rapport aux différents poteaux à l'heure où l'astre s'élevait au-dessus des collines situées à quelques centaines de mètres à l'est de la ville, l'astronome calculait le jour le plus propice qui marquerait, pour les fermiers de Cahokia, le début des semailles.

Sur les terrasses inférieures du grand tumulus, des vestiges semblent représenter les anciennes résidences du chef suprême de la région et des personnalités les plus importantes. Ces demeures, comme la grande construction qui les dominait, faisaient face à la place principale et aux avenues qui conduisaient à la pyramide des sacrifices et aux tertres funéraires; ces deux structures occupaient une place importante, non seulement dans la vie religieuse de la ville, mais également dans l'organisation curieusement hiérarchisée de la société de Cahokia.

La structure de la société du Mississippi peut être reconstituée grâce à divers indices. De nombreux caractères peuvent être déduits des restes des maisons de bois et de claies dont la dimension était, suppose-t-on, proportionnelle au rang du propriétaire : on trouvait donc des huttes et de grands bâtiments de plusieurs dizaines de mètres carrés de surface. Le mobilier funéraire découvert dans les tombes est également extrêmement révélateur du statut dont jouissait, de son vivant, le défunt enterré là. On peut y joindre les enseignements tirés des récits oculaires concernant la vie des peuples du Mississippi et que nous ont laissés les explorateurs européens : en effet, ceux-ci, bien qu'ils fussent arrivés trop tard pour voir Cahokia dans sa gloire, purent cependant observer les derniers stades des sociétés du Mississippi chez les Natchez et les autres tribus qui habitaient encore la vallée du Mississippi inférieur. La combinaison de ces diverses preuves nous donne une reconstitution très détaillée d'une société originale au sein de laquelle les diverses classes sociales comportaient une ségrégation rigide, mais que les individus pouvaient franchir en certaines circonstances.

Au sommet de l'échelle sociale régnait le Grand Soleil qui disposait sur la communauté et tout le territoire d'un pouvoir absolu. En dessous de lui, on trouvait une aristocratie hiérarchisée dont le niveau supérieur se composait des parents du Grand Soleil appelés Soleils inférieurs, qui étaient suivis des Nobles. C'était parmi les Soleils inférieurs et les Nobles que se recrutaient les chefs militaires ainsi que les prêtres; ces derniers présidaient aux cérémonies d'invocations aux dieux et fixaient les dates des semailles. Aux derniers rangs de l'aristocratie, figuraient les Honorables, c'est-à-dire les guerriers importants, les maîtres artisans et les principaux commerçants.

Faisant vivre le Grand Soleil et les classes supérieures, la masse de la population se composait de l'ensemble des travailleurs, des fermiers et des guerriers de dernier rang. Cependant, une grande partie du travail collectif non spécialisé était confiée aux esclaves qui se recrutaient, partie parmi les prisonniers de guerre capturés au cours des expéditions, et partie par achat aux marchands d'esclaves. Quant aux aristocrates, ils ne se souciaient pas de distinguer les esclaves de la masse auxquels ils attribuaient un seul nom collectif : les « Puants ».

Les Puants formaient un prolétariat sévèrement gouverné et dominé : les gardes du corps du Grand Soleil exécutaient sur-le-champ tout individu dont les paroles ou les actes déplaisaient au grand chef. Mais, parce qu'une certaine promotion sociale était permise dans la société du Mississippi, les Puants n'étaient pas réduits à un esclavage sans espoir.

C'est ainsi que le mariage représentait un moyen de gravir l'échelle sociale. Toutes les classes supérieures, y compris le Grand Soleil lui-même, étaient obligées de se marier avec un Puant ou une Puante. Le conjoint puant ne s'élevait pas dans la hiérarchie à la suite de son mariage, mais les enfants de ce mariage étaient promus. Le rang social suivait généralement celui de la mère, si bien que l'enfant né d'un père Puant et d'une mère Noble, par exemple, était automatiquement anobli. Au contraire, la progéniture issue d'un père Noble et d'une femme Puante n'accédait qu'au rang immédiatement inférieur à celui du parent le plus favorisé; il devenait ainsi un homme ou une femme Honorable. Cette règle s'appliquait au Grand Soleil en personne; le fils du chef suprême, qui n'était qu'un Noble, ne pouvait hériter la succession de son père au pouvoir. Au contraire, c'était au fils de la femme qui était la plus proche parente de rang le plus élevé que revenait la charge de Grand Soleil à la mort du chef en exercice.

Cependant, le mariage ne représentait pas le seul moyen de promotion sociale. Un homme Honorable ou même un Puant pouvait être promu d'une classe pour faits d'armes à la guerre. En outre, certains sacrifices spéciaux consentis en l'honneur des dieux ou d'un chef réputé procuraient un certain avancement. Mais le prix en était lourd, car il s'agissait de sacrifices humains. Ainsi l'ambitieux avide de promotion devait payer son avancement du meurtre rituel perpétré sur un membre de sa propre famille. L'une de ces cérémonies sanglantes qui étaient associées au rite funéraire fut observée par des explorateurs français, au cours des obsèques d'un chef des Natchez, tribu du Mississippi du Sud. Parce qu'on suppose que de telles coutumes étaient répandues dans la plupart des tribus indiennes, et qu'elles ont conservé sans doute au cours des siècles certains caractères fondamentaux, le récit des Français, grâce à ses nombreux détails, a permis une reconstitution

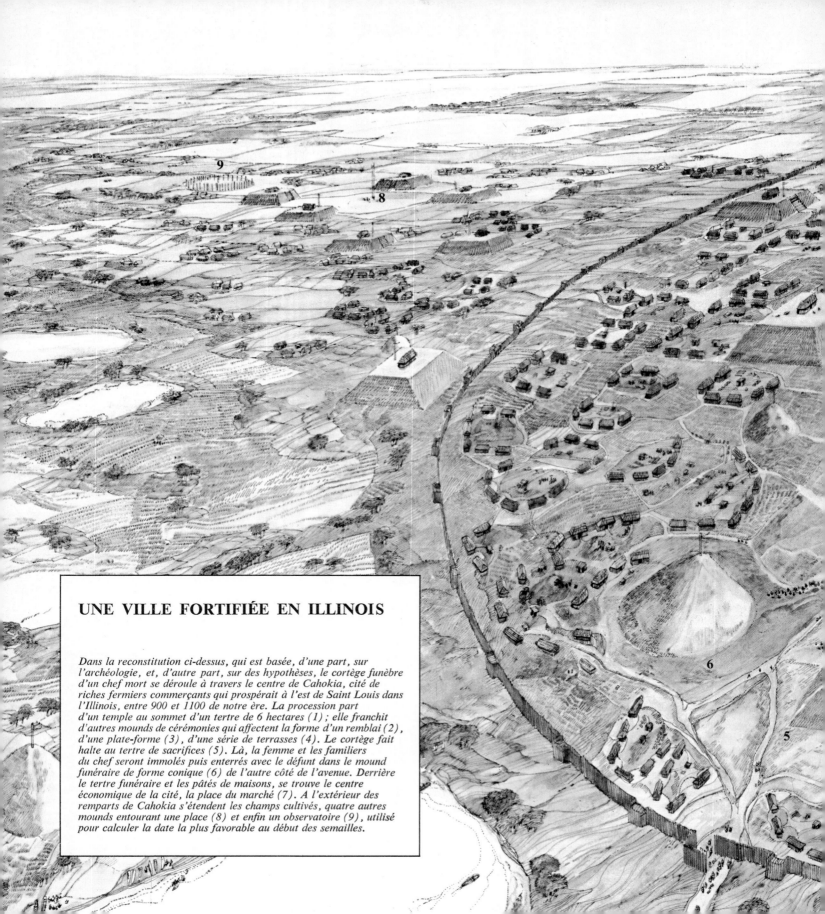

UNE VILLE FORTIFIÉE EN ILLINOIS

Dans la reconstitution ci-dessus, qui est basée, d'une part, sur
l'archéologie, et, d'autre part, sur des hypothèses, le cortège funèbre
d'un chef mort se déroule à travers le centre de Cahokia, cité de
riches fermiers commerçants qui prospérait à l'est de Saint Louis dans
l'Illinois, entre 900 et 1100 de notre ère. La procession part
d'un temple au sommet d'un tertre de 6 hectares (1) ; elle franchit
d'autres mounds de cérémonies qui affectent la forme d'un remblai (2),
d'une plate-forme (3), d'une série de terrasses (4). Le cortège fait
halte au tertre de sacrifices (5). Là, la femme et les familiers
du chef seront immolés puis enterrés avec le défunt dans le mound
funéraire de forme conique (6) de l'autre côté de l'avenue. Derrière
le tertre funéraire et les pâtés de maisons, se trouve le centre
économique de la cité, la place du marché (7). A l'extérieur des
remparts de Cahokia s'étendent les champs cultivés, quatre autres
mounds entourant une place (8) et enfin un observatoire (9), utilisé
pour calculer la date la plus favorable au début des semailles.

approximative des cérémonies qui accompagnaient la mort d'un Noble puissant à Cahokia, celle du chef militaire suprême de la ville.

Cet illustre guerrier est mort d'une blessure reçue au combat et, lorsque ses serviteurs pénétrèrent dans sa demeure pour le soigner, ils découvrirent son cadavre rigide et froid. Le chef intendant ordonne qu'on apporte au défunt la nourriture habituelle qu'il présente lui-même au cadavre : « Ne désirez-vous pas continuer plus long-temps à manger ce que nous vous avons préparé ? demande l'homme. N'êtes-vous plus satisfait de nos services ? Vous ne répondez pas, donc vous êtes mort. Voici que vous nous avez laissés pour accéder au pays des esprits ! » Rejetant alors la tête en arrière, l'homme pousse un grand cri de mort qui rappelle le hurlement d'un loup. La clameur est reprise par les autres serviteurs et les membres de la famille du défunt, puis elle gagne de maison en maison jusqu'à ce que l'air retentisse des lamentations de la ville en deuil.

Deux jours plus tard, les préparatifs des obsèques sont terminés. Le chef mort repose sur son lit de parade, revêtu de ses plus beaux habits de peau de cerf; son visage est coloré et rougi à l'oxyde de fer et une couronne de plumes est placée sur sa tête. Près de lui, on a disposé son arc et ses flèches, sa massue de guerre taillée dans un seul bloc de silex de 60 cm de long, ainsi que douze pipes richement sculptées dont chacune lui fut offerte pour une victoire. Sur un mât pend une chaîne de fibre de canne dont chaque nœud symbolise un des ennemis qu'il a tués. Autour du lit, sont assis ses deux femmes et quelque 50 serviteurs et familiers qui, tous, vont jouer un rôle tragique, mais rituel, aux obsèques.

Mais voici qu'arrive le grand prêtre, richement tatoué et couvert de colliers de coquillages et de plumes; main-tenant, le cortège funèbre s'ébranle. Quittant la maison mortuaire, la procession se déroule lentement vers la place qui s'étend devant le grand tertre et le temple. Alors, se joignent au cortège et prennent place à côté des veuves et des membres de la maison du mort, tous Puants, 8 parents du chef; ceux-ci ont les bras et les mains teintés de rouge et c'est à eux que reviendra le rôle

d'exécuteurs au cours du meurtre collectif rituel, et leur récompense sera l'accession au rang d'Honorables.

La litière du défunt est portée au centre de la procession et entourée d'une foule de pleureuses chantant des invocations funèbres. Au moment où la litière approche du temple, les corps de plusieurs jeunes enfants sont jetés sous les pieds des porteurs. Ces enfants sont offerts en sacrifice; ils ont été étranglés par leurs parents ambitieux en l'honneur du défunt — cela leur vaudra une promotion sociale.

Arrivé au pied du grand temple, le cortège fait halte; il est rejoint par le Grand Soleil paré de sa couronne distinctive de plumes blanches, laquelle est ornée de petits glands rouges et de graines blanches. Puis le cortège poursuit solennellement sa route à travers la ville jusqu'au tertre de sacrifice et gravit les degrés jusqu'à la plate-forme supérieure. Là, les veuves et les familiers du mort qui doivent être sacrifiés se placent en ligne des deux côtés de la litière avec leurs exécuteurs. Lorsqu'ils se sont assis sur des nattes, le Grand Soleil donne au grand prêtre le signal de la cérémonie.

Se tournant d'abord vers la première femme du défunt, le prêtre lui demande si elle consent à accompagner son mari au pays des esprits. « J'y consens », déclare-t-elle d'un ton convaincu, « parce que là-bas nous serons immortels, le soleil y brille éternellement, la faim n'existe pas, les hommes n'y font plus la guerre parce que tous appartiennent au même peuple. » La même question est alors posée successivement à la seconde épouse et aux 50 victimes qui connaissent leur destin et qui acquiescent de même. Les parents exécuteurs entonnent à nouveau le chant de mort, accomplissent les danses mortuaires, tandis que les futurs sacrifiés étendus sur leurs nattes rythment la cadence d'un mouvement du tronc et des bras.

Lorsque la danse atteint son paroxysme, chaque vic-time reçoit et avale une boule de tabac qui agira comme un narcotique. Au moment où le sacrifié sombre dans l'in-conscience, les exécuteurs attachent une corde autour de son cou et se placent 4 d'un côté, 4 de l'autre, tenant l'extrémité de la corde. Le grand prêtre élève son bâton de cérémonie, puis le rabaisse en frappant d'un coup sec le sol de la place. Rapidement, les exécuteurs tirent la corde en cadence et, en quelques minutes, le sacrifice des victimes est consommé.

Au milieu des clameurs et des lamentations, les corps du chef et des dizaines d'individus qui l'accompagnent dans la mort sont transportés au sommet du tertre funéraire voisin. Là ils sont étendus dans des tombes fraîchement creusées et, autour du défunt, on dispose les offrandes funèbres de poterie, d'armes et de parures. Les tombes sont alors comblées tandis qu'une colonne de fumée s'élevant dans l'air au-dessus de la ville annonce que la maison mortuaire, maudite parce que le chef y a péri, vient d'être livrée aux flammes.

La grande cité de Cahokia connut une période florissante pendant quelque sept siècles. La datation au carbone 14 nous prouve qu'elle était encore habitée en 1550 de notre ère, mais elle avait déjà été désertée lorsque, quelque cent ans plus tard, les premiers explorateurs français la visitèrent.

Une théorie attribue le déclin de Cahokia et de quelques communautés voisines aux désordres et aux luttes sociales que provoqua l'accroissement des populations. Sans aucun doute, l'agriculture intensive sur laquelle était basée toute la Civilisation du Mississippi a dû engendrer un accroissement démographique aigu, ce qui, en retour, a pu nécessiter l'expansion des zones cultivées. C'est là que peut résider le nœud du problème. Une fois que les plus riches vallées et leurs terres fertiles eurent été fortement peuplées, les cités-états du nord du Mississippi ont pu s'étendre dans deux directions au plus. L'une était les nombreux îlots de prairies à longues herbes qui se trouvaient aux environs mais, là, le sol compact où s'entremêlaient des plantes sauvages aux fortes racines restait impossible à cultiver en l'absence de charrues d'acier tirées par des chevaux ou des bœufs; l'autre région possible était forestière : les arbres pouvaient être abattus et le sol défriché par brûlage pour libérer la terre pour la culture.

Mais les sols forestiers, à la différence de ceux des terres basses qui sont annuellement fertilisées par les crues du Mississippi, ne comportent qu'une mince couche arable; même avec une couche superficielle de cendres de bois à la surface, ces terres ne peuvent être cultivées que pendant quelques années, puis elles doivent retourner en jachère pendant au moins une génération. Ainsi, les communautés du Mississippi ont dû étendre leur terre à culture toujours plus loin dans la forêt et toujours plus loin des rivières dont leurs courants commerciaux dépendaient largement. Ces changements auraient causé des problèmes non seulement pour le transport des marchandises, mais également sans doute en matière politique et de gouvernement : la perception des impôts (comme les dirigeants du Mississippi ont dû la pratiquer pour maintenir un tel standing de vie) devait être aisée lorsque les assujettis habitaient le long de la rivière, mais la tâche du percepteur devient ardue dans des villages qui se situaient à 50 ou 80 km au cœur des bois.

En outre, l'expansion territoriale dans les régions forestières aura certainement fait naître des conflits avec les tribus qui en étaient les premières occupantes. Celles-ci, qui commençaient elles-mêmes à pratiquer l'agriculture, voyaient leur propre population augmenter plus fortement que si elles étaient restées des chasseurs-collecteurs.

Cependant il n'y a rien de mystérieux dans la destruction des communautés du Mississippi des régions sud. Lorsqu'en 1704 le négociant français De La Vente se rendit chez les Indiens Natchez de la vallée du Mississippi inférieur, il trouva ces peuplades, si l'on en croit ses propres récits, en nette décroissance démographique. Le fait, disait-il, indiquait que « Dieu veut que ces gens cèdent leur place à de nouveaux peuples » — aux Français, sans aucun doute. Si cela est vrai, les envoyés de Dieu qui provoquèrent ce changement ne furent pas les trafiquants humains, mais bien les microbes étrangers qu'ils introduisirent. En effet, les Indiens, qui étaient depuis toujours restés isolés du Vieux Monde étaient peu ou nullement immunisés contre les germes importés d'Europe. C'est ainsi que des épidémies de rougeole, d'influenza ou de variole pouvaient exterminer la quasi-totalité d'une communauté. De La Vente notait lui-même que, par l'effet de la variole, la population des Natchez avait décru au moins d'un tiers en 6 années seulement, et que des catastrophes similaires avaient dû éliminer un grand nombre d'autres tribus : les microbes comme les marchandises progressent le long des axes commerciaux. Une génération après De La Vente, les Français achevèrent l'œuvre que les microbes avaient commencée : au cours d'une guerre, ils exterminèrent la plus grande partie de la population Natchez et en dispersèrent les survivants.

Le destin des Natchez semble parfaitement typique et représentatif de presque toutes les cultures aborigènes d'Amérique du Nord. Simples ou complexes, riches ou pauvres, basées sur la chasse, la collecte ou l'agriculture, ces civilisations succombèrent tôt ou tard aux maladies ou aux canons importés par les Européens. Ainsi les héritiers de ces intrépides pionniers asiatiques qui avaient franchi vers l'est la toundra de la Béringie, ceux des chasseurs de Clovis qui poursuivaient le mammouth et le bison à longues cornes, et les descendants de toutes les tribus et cultures qui, depuis quelque trente millénaires, avaient élaboré et raffiné leurs techniques pour survivre et dominer les milieux infiniment variés d'Amérique du Nord, ces gens, en l'espace de quatre siècles devinrent les « Américains en voie de disparition ».

La véritable histoire des Indiens disparut presque avec eux. C'est aujourd'hui seulement, alors que nous découvrons de nouveaux témoignages de leur passé permettant de corriger d'anciennes théories erronées, que nous savons comprendre l'étendue de leurs réalisations. Les Indiens qui peuplaient l'Amérique du Nord pré-colombienne ne furent ni des brutes infra-humaines, ni des nobles sauvages; c'étaient des hommes imaginatifs, créateurs et doués d'une souplesse d'adaptation remarquable. A l'aube même des premiers temps de l'homme moderne, ils surent conquérir un continent hostile. Les Indiens prospérèrent partout, élaborant non pas un, mais des douzaines de modes de vie différents. Certaines civilisations acquièrent rapidement une complexité étonnante : richesses artistiques, technologie ingénieuse, commerce à grande échelle. Sur toute l'étendue de ce grand continent, ces races ont démontré la capacité de l'espèce humaine à s'adapter à toutes les conditions naturelles quelles qu'elles soient, et à élaborer des modes de vie prospères et en expansion constante. C'est cette souplesse unique qui fit de l'homme le roi de la planète.

Les Européens découvrent les Indiens

Devant sa mère prostrée de douleur, cet enfant premier-né va être sacrifié en l'honneur d'un chef, que l'on voit ici discutant avec un visiteur français.

Lorsque les explorateurs du XVIᵉ siècle révélèrent finalement au reste du monde l'existence des populations indiennes en Amérique du Nord, les Indiens ne furent pas présentés sous les traits de commerçants riches qui construisirent les mounds des cités du Sud-Ouest, mais les explorateurs décrivirent les tribus relativement pauvres des îles et des côtes. Parmi les premières qui furent présentées au public européen, citons les Saturiwa qui vivaient en Floride de collecte et d'agriculture.

Leurs portraits furent dessinés, bien que de manière inexacte, par Jacques Le Moyne, qui avait accompagné en 1564 une expédition française à titre de cartographe. Ses peintures furent plus tard publiées en gravures que nous reproduisons ici accompagnées de textes qui sont tirées des légendes écrites par Le Moyne lui-même.

Sans doute Le Moyne exécuta-t-il ces portraits de mémoire après son retour en Europe, parce que ses souvenirs semblent être entachés de notions purement européennes. C'est ainsi que l'artiste mit aux mains des Saturiwa des armes et des outils flamands, et qu'il tenta de rendre les Indiens sous les traits de sauvages exotiques, image que les Européens se faisaient d'eux. Ce préjugé semblait cadrer parfaitement avec l'allure de ces peuples qui assurément vivaient quasi nus, qui pratiquaient des sacrifices *(ci-dessus)* et qui avalaient des remèdes aux effets magiques.

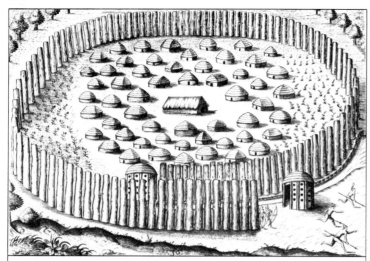

Un village Saturiwa *a été décrit par
Le Moyne comme possédant une palissade
de madriers et un poste de garde défendant
une étroite entrée. L'artiste prétendit
également que les gardes étaient capables
de repérer à l'odeur un ennemi rôdant
aux alentours et de le découvrir.*

Une scène d'agriculture *montre des hommes
Saturiwa travaillant avec des outils flamands,
tandis qu'à gauche une femme utilise un panier
de facture européenne. En réalité, ces Indiens
utilisaient des houes, bâtons emmanchés
sur de larges os de poissons et ils transportaient
les graines à la main.*

Un médecin Saturiwa *suce le sang d'une
entaille qu'il a pratiquée sur le front du
patient. Celui-ci est couché sur un banc
de bois, recouvert d'une couverture, et conçu
à cet usage. Après avoir extirpé le sang de
la blessure, l'homme recrache le liquide
dans la gourde à ses pieds. Les femmes
nourrissant ou enceintes buvaient alors ce
sang qui, croyaient-elles, devaient rendre
leurs enfants plus forts et plus vifs. Le
Moyne a représenté un autre traitement
dans laquel le patient gît sur le ventre sur
le banc de bois et respire des graines
brûlant lentement : l'inhalation de la
fumée par le malade avait la réputation
d'extirper la source du mal.*

Les Indiens chercheurs d'or, *dans l'eau jusqu'à mi-jambe, recueillent le sable dans de longs roseaux pour en extraire l'or; cette scène est basée sur des on-dit. Les indigènes utilisaient bien ce métal, mais aucun Européen ne fut jamais le témoin de cette méthode de prospection.*

Pour tuer un alligator, *une bande de chasseurs enfoncent un long pieu dans la gueule de l'animal qu'ils retournent ventre en l'air; l'abdomen du reptile est plus vulnérable. Au fond, on voit un alligator retourné de cette façon que les Indiens sont en train d'achever.*

Déguisés en cerf, *les chasseurs indiens se rapprochent de leur proie qui s'abreuve au ruisseau; les hommes se sont dissimulés sous une peau de cerf complète avec ses « bois », qu'ils ont jetée sur leur dos et leur tête; le chasseur observe à travers les orifices oculaires de la tête.*

Les animaux tués *étaient placés sur une grille de bois pour être fumés au-dessus du foyer. La viande sera ainsi conservée jusqu'à l'hiver. L'artiste a représenté les bêtes intactes sur le gril alors que, habituellement, les Indiens découpaient celles-ci en quartiers avant de les mettre au feu.*

Durant un conseil de tribu, *un conseiller bénit les membres de l'assemblée, qui sont assis des deux côtés du chef (au centre en haut). Des membres d'une expédition française se tiennent debout, appuyés à leur mousquet, tandis que des femmes chauffent des marmites de « casina », boisson à base de caféine fermentée composée de feuilles de houx. La casina, servie dans des coquilles de moules, était si forte que certains buveurs vomissaient (en haut à gauche et à droite). Ce breuvage puissant était apprécié pour le soulagement qu'il procurait, mais en outre il avait aussi la particularité de calmer la faim et la soif.*

Naviguant à la pagaie, *au retour des îles voisines où ils se sont rendus dans des pirogues en tronc d'arbre, les Indiens rapportent des provisions au magasin public, comme celui que l'on voit sur la berge. Pour conserver les denrées au frais, ces réserves étaient bâties à l'ombre et recouvertes de feuilles de palmier. Chaque membre de la tribu y prenait la part qui lui revenait. Les Européens s'émerveillaient de ce qu'aucun vol ne fût jamais commis.*

Un exécuteur public *lève sa massue sur deux sentinelles agenouillées qui ont été condamnées à mort. Leur crime fut de s'être endormis à leur poste, ce qui permit à une bande de maraudeurs de mettre le feu au village endormi.*

Un chef et son épouse *assistent à une cérémonie de mariage, assis sur des trônes placés sur une estrade de bois. La mariée est la plus grande et la plus belle des filles d'un de ses conseillers. Ceux-ci entourent l'estrade pendant la cérémonie. Les jeunes filles, les cheveux rejetés en arrière, exécutent une danse circulaire durant laquelle elles chantent les louanges du couple. Leur seul vêtement est une ceinture de cérémonie d'où pendent un sac et des anneaux de parures de cuivre, de pierre et de coquillages, qui tintent au moindre mouvement de la danseuse.*

Lançant des flèches *enflammées, une troupe de guerriers attaque par surprise un village. Les huttes couvertes de feuilles de palmier séchées au soleil de Floride prennent feu aussitôt au contact de la mousse brûlante fixée aux pointes de flèches. Ces habitations seront entièrement consumées.*

R.Holata Outina.

Avant de livrer bataille, *un chef indien nommé Outina (à gauche) se penche vers le sorcier qui doit donner son avis sur le déroulement des futures opérations. Le sorcier, agenouillé sur un bouclier placé à l'intérieur d'un cercle magique, entre en transe volontaire sous le regard des guerriers et des explorateurs français (à droite). Son corps se contorsionne et se désarticule, jusqu'à ce que l'état de transe prenne fin. L'homme annoncera alors au chef quelle est la force de l'ennemi, et l'endroit où se déroulera la bataille.*

Les obsèques d'un chef *ouvrent une période de deuil public qui durera six mois au moins. Les Indiens, qui ont coupé leur chevelure par respect pour le défunt, se réunissent pour se lamenter autour de la tombe. Celle-ci est entourée de flèches fichées dans le sol et surmontée de la coquille ornée dont se servait le chef pour boire la casina réconfortante. A gauche au fond, les maisons qui appartenaient au défunt sont la proie des flammes, car la tradition impose la destruction des biens du chef mort.*

40

Célébrant le retour du printemps, *les Indiens offrent un sacrifice au soleil : une peau de cerf remplie de racines et ornée de fruits. Le chef et le sorcier dirigent la cérémonie : la tribu prie le soleil d'encourager la fertilité de toutes les plantes qu'ils cultivent et qu'ils récoltent. A droite, on voit des observateurs français.*

Les Origines de l'Homme

Ce tableau décrit la progression de la vie sur la terre à partir de sa première apparition dans les eaux chaudes de la planète nouvellement formée, puis à travers l'évolution de l'homme lui-même; on y retrace son développement physique, social, technologique et intellectuel jusqu'à l'aube de l'ère chrétienne. Pour représenter ces progrès selon les séquences chronologiques généralement adoptées, la première colonne à gauche de chacune des quatre

Géologie	Archéologie	Datation en milliards d'années	
Précambrien ère primitive		4,5	Création de la Terre
		4	Formation de la mer primitive
			Apparition de la vie dans l'eau (algues unicellulaires et bactéries)
		3	
		2	
		1	
		Datation en millions d'années	
			Apparition des premiers animaux à respiration oxygénée
		800	
			Les organismes primitifs produisent des cellules spécialisées interdépendantes
		600	Animaux invertébrés pluricellulaires à squelette externe
Paléozoïque vie ancienne			Évolution des poissons cuirassés, premiers animaux à posséder une épine dorsale osseuse
		400	Les petits amphibiens s'aventurent sur la terre ferme
			Apparition des reptiles et des insectes
			Apparition des thécodontes, ancêtres des dinosaures
Mésozoïque vie moyenne		200	Début de l'âge des dinosaures
			Apparition des oiseaux
			Des mammifères vivent dans l'ombre des dinosaures
			Fin de l'âge des dinosaures
		80	
Cénozoïque vie récente			Développement des prosimiens, premiers primates à vie arboricole
		60	
		40	Évolution des singes et des anthropoïdes.
		20	
		10	*Ramapithecus,* le plus ancien primate connu qui présentât des traits humanoïdes évolue en Inde et en Afrique
		8	
		6	*Australopithecus,* qui est le plus proche ancêtre primate de l'homme, apparaît en Afrique
		4	

Géologie	Archéologie	Datation en millions d'années	
Pleistocène inférieur période la plus ancienne de l'époque la plus récente	**Paléolithique inférieur** période la plus ancienne de l'âge de la pierre taillée	2	Plus anciens outils connus fabriqués par l'homme en Afrique
			Le premier homme véritable, *Homo erectus,* apparaît en Insulinde et en Afrique
		1	*Homo erectus* se répand dans les régions tempérées
		Datation en milliers d'années	
Pléistocène moyen période intermédiaire de l'époque la plus récente		800	L'homme apprend à contrôler et à utiliser le feu
		600	
		400	La chasse à l'éléphant organisée se déroule en Europe sur une grande échelle
			L'homme commence à construire les premiers abris de branchages
		200	
Pléistocène supérieur dernière période de la plus récente époque	**Paléolithique moyen** période intermédiaire de l'âge de la pierre taillée		L'homme de Néanderthal apparaît en Europe
		80	
		60	Les rites funéraires en Europe et au Proche-Orient suggèrent la croyance en la survie
			Les Néanderthaliens chassent le mammouth laineux en Europe du Nord
			L'ours des cavernes devient l'objet d'un culte en Europe
		40	L'homme de Cro-Magnon apparaît en Europe
	Paléolithique supérieur dernière période de l'âge de la pierre taillée		**Des chasseurs asiatiques franchissent le détroit de Béring et vont peupler les deux Amériques**
			Plus ancien document écrit connu : un calendrier lunaire gravé sur os (Europe)
			L'homme atteint l'Australie
			Les premiers artistes décorent les parois et les voûtes des grottes en France et en Espagne
		30	Figurines sculptées (culte de la Nature)
		20	Invention de l'aiguille à coudre
Holocène époque actuelle	**Mésolithique** Age de la pierre moyenne	10	**Débuts de la chasse au bison dans les grandes plaines d'Amérique du Nord**
			Invention de l'arc et de la flèche en Europe
			Apparition de la poterie au Japon

Dernier âge de glace

▼ 4 milliards d'années   ▼ 3 milliards d'années

▲ Origine de la Terre (4,5 milliards)   ▲ Apparition de la vie (3,5 milliards)

ties du tableau indique le nom des grandes ères géologiques selon lesquelles savants divisent l'histoire de la terre; la seconde colonne indique la ode archéologique de l'histoire humaine. Les dates clés dans le développ-ent de la vie et des performances humaines remarquables se situent dans roisième colonne (les années et les événements qui sont mentionnés au rs de ce volume sont imprimés en gras). Ce tableau ne conserve pas graphiquement l'échelle des temps, pour une raison très simple illustrée par l'échelle figurant en bas de la page. En effet, il est impossible de respecter l'échelle des temps pour une période qui commença voici 4,5 milliards d'années alors que la durée qui englobe la totalité de l'histoire humaine connue *(extrême droite)* est trop courte par rapport à l'ensemble pour être représentée en proportion réelle.

éologie	Archéologie	Années avant J. C.	
	Néolithique âge de la pierre polie	9000	
			Domestication du mouton au Proche-Orient
			Domestication du chien en Amérique du Nord
		8000	La plus ancienne cité permanente connue : Jéricho
			Domestication de la chèvre en Perse
			Premières cultures de céréales (blé et orge) au Proche-Orient
		7000	L'établissement des habitants se groupant par villages se généralise au Proche-Orient
			Catal Huyük (en Turquie actuelle) devient la plus grande cité néolithique
			Le métier à tisser apparaît au Proche-Orient
			Domestication des bovins au Proche-Orient
		6000	En Europe l'agriculture commence à remplacer la chasse
	Age du cuivre		Le cuivre est utilisé comme monnaie d'échange dans la région méditerranéenne
			Première culture du maïs au Mexique
			Premiers navires à voile (Égypte)
			Construction du plus ancien mégalithe connu (Bretagne)
			Fondation des premières cités-états de Sumer
			Premier emploi de sceaux cylindriques comme marque d'identification au Proche-Orient
		3500	Premières cultures de la pomme de terre en Amérique du Sud
			Invention de la roue à Sumer
			Première culture du riz en Extrême-Orient
			Premier élevage de vers à soie en Chine
			Les bateaux marchands égyptiens commencent à sillonner la Méditerranée
			Premiers documents en écriture pictographique (Proche-Orient)
	Age de bronze	3000	Premiers outils en bronze (Proche-Orient)
			La vie urbaine se développe dans la vallée du Nil
			Invention de la charrue au Proche-Orient
			Premier calendrier précis basé sur les observations astronomiques (Égypte)
			Construction des Pyramides (Égypte)
			Les navigateurs minoëns s'aventurent pour la première fois hors de la Méditerranée
		2600	Culte des dieux et héros épiques *(Gilgamesh)* au Proche-Orient
		2500	Premières villes de la vallée de l'Indus

Géologie	Archéologie	Années avant J. C.	
Holocène *(suite)*	**Age du bronze** *(suite)*	2400	Début de la construction de Stonehenge, monument mégalithique circulaire (Angleterre)
			Premier recueil de lois écrites publié à Sumer
		2000	Domestication de l'éléphant et premiers élevages de poulets dans la vallée de l'Indus
			L'usage du bronze se répand en Europe
			Première culture esquimaude dans la région du détroit de Béring
			Début de la culture du riz au Proche-Orient
			Les nomades d'Asie centrale domestiquent le cheval (attelage et équitation)
		1500	Apparition des grandes pirogues de haute-mer à balancier, capables d'atteindre les îles du Pacifique sud
			Premières sculptures religieuses en bronze (Chine)
			Empire des Hittites, gouvernement centralisé administrant des provinces lointaines
	Age de fer	1400	Apparition du fer au Proche-Orient
			Première écriture à alphabet complet réalisée par les Ougarites (Syrie)
			Premier concept de monothéisme (chez les Hébreux)
		1000	Domestication du renne en Europe du Nord
		900	Les Phéniciens établissent l'alphabet moderne
		800	Les cultures celtiques commencent à répandre l'usage du fer en Europe
			Création d'une société de peuples cavaliers qui nomadisent à grande échelle dans les steppes de Russie
			Construction du premier réseau de routes à grande circulation en Assyrie
			Homère compose *l'Iliade* et *l'Odyssée*
		700	Fondation de Rome
			Invention de la brouette à roue (Chine)
		200	Rédaction des épopées mythologiques de l'Inde : *Mahâbhârata* et *Râmâyana*
			Invention de la roue à aubes (Proche-Orient)
		0	Début de l'ère chrétienne

2 milliards d'années   1 milliard d'années

Premiers animaux respirant de l'oxygène (900 millions)   Premiers animaux à posséder une colonne vertébrale (470 millions)   Premiers hommes (1,3 million)

Sources
des illustrations

Les sources des illustrations de cet ouvrage figurent ci-dessous. Les renseignements de gauche à droite sont séparés par des points-virgules; ceux de haut en bas sont séparés par des tirets.

Couverture — Peinture par Burt Silverman, photographie d'arrière-fond par Fritz Goro pour le compte de LIFE. 8 — Edward S. Curtis, Philadelphia Museum of Art : Acquisition faite grâce aux fonds du musée américain de la Photographie. 12 — Photographié par Robert R. Wright, Muséum d'histoire naturelle de Denver. 14 — David Sanger; Muséums nationaux du Canada, Ottawa. 16 à 20 — Cartes par Rafael D. Palacios. 23 à 33 — Peintures par Burt Silverman, les photographies d'arrière-fond sont énumérées séparément : 23 — ENTHEOS. 24, 25 — Fritz Goro pour le compte de LIFE. 26, 27 — Pete K. Martin. 28, 29 — ENTHEOS. 30, 31 — ENTHEOS; John J. Burns. 32, 33 — ENTHEOS. 34 — Walter Barnes avec l'aimable autorisation du Texas Memorial Museum. 38, 39 — Peintures par Jérôme Kuhl. 41 — Extrait de *Prehistory of North America* de Jesse D. Jennings (After Webb, 1946). Copyright 1968, McGraw-Hill. Utilisé avec la permission de McGraw-Hill Book Company. Adaptation de Roger Hane; dessins par Nicholas Fasciano. 42, 43 — Peintures par Roger Hane. 44 à 53 — Peintures par Nicholas Fasciano. 54 — Avec l'aimable autorisation du Muséum d'histoire naturelle de l'Utah, université de l'Utah, Salt Lake City. 60, 61 — Lee Boltin avec l'aimable autorisation du Museum of the American Indian, Heye Foundation. 62 — Lee Boltin avec l'aimable autorisation du Museum of the American Indian, Heye Foundation; Lee Boltin avec l'aimable autorisation de la Smithsonian Institution — Lee Boltin avec l'aimable autorisation du Museum of the American Indian, Heye Foundation. 64, 65 — Lee Boltin avec l'aimable autorisation du Museum of the American Indian, Heye Foundation; Lee Boltin avec l'aimable autorisation de la Smithsonian Institution — Lee Boltin avec l'aimable autorisation du Museum of the American Indian, Heye Foundation — Lee Boltin avec l'aimable autorisation de la Smithsonian Institution.

69 — Lee Boltin avec l'aimable autorisation du Muséum américain d'histoire naturelle. 72, 73, 74 — Peintures par Nicholas Fasciano. 77 — Edward S. Curtis, copié par Richard Henry avec l'aimable autorisation du département des Livres rares, The New York Public Library, Astor, Lenox and Tilden Foundations. 78 — British Columbia Provincial Museum. 79 — Edward S. Curtis, copié par Richard Henry avec l'aimable autorisation du département des Livres rares, The New York Public Library, Astor, Lenox and Tilden Foundations. 80, 81 — Reproduit grâce à l'aimable autorisation de la Bancroft Library, université de Californie, Berkeley. 82, 83 — Provincial Archives, Victoria, British Columbia, avec l'aimable autorisation de Ralph Andrews. 84 — Reproduit grâce à l'aimable autorisation de la Bancroft Library, université de Californie, Berkeley. 85 — British Columbia Provincial Museum. 86, 87 — Edward S. Curtis, copié par Richard Henry avec l'aimable autorisation du département des Livres rares, The New York Public Library, Astor, Lenox and Tilden Foundations. 88 — Stefansson Collection, Darmouth College Library. 90 — Lee Boltin avec l'aimable autorisation du Muséum américain d'histoire naturelle, excepté au centre, avec l'aimable autorisation de The Robert & Frances Flaherty Study Center, Brattleboro, Vermont. 93 — Lee Boltin avec l'aimable autorisation du Muséum américain d'histoire naturelle; Muséums nationaux du Canada, Ottawa. 95 — Lee Boltin avec l'aimable autorisation du Muséum américain d'histoire naturelle, excepté au centre, Muséums nationaux du Canada, Ottawa. 97 — Lee Boltin avec l'aimable autorisation du Muséum américain d'histoire naturelle — Stefansson Collection, Dartmouth College Library; Lee Boltin avec l'aimable autorisation du Muséum américain d'histoire naturelle. 98 — Fritz Goro pour le compte de LIFE — Lee Boltin avec l'aimable autorisation du Muséum américain d'histoire naturelle. 100, 101 — Lee Boltin avec l'aimable autorisation du Muséum américain d'histoire naturelle — photographie de W. Thalbitzer, Copyright : Arktist Institut, Charlottenlund, Danemark; Gontran de Poncins. 102 — Lee Boltin avec l'aimable autorisation du Muséum américain d'histoire naturelle, excepté au centre, photographie de Robert J. Flaherty avec l'aimable autorisation du Musée d'Art moderne/Film Stills Archive. 104, 105 — Fritz Goro

pour le compte de LIFE; photographie de Jette Bang, Copyright : Arktist Institut, Charlottenlund, Danemark — Lee Boltin avec l'aimable autorisation du Muséum américain d'histoire naturelle. 106, 107 — Lee Boltin avec l'aimable autorisation du Muséum américain d'histoire naturelle — Muséums nationaux du Canada, Ottawa; Annan Photo Features — Lee Boltin avec l'aimable autorisation du Muséum américain d'histoire naturelle. 108 — Lee Boltin avec l'aimable autorisation du Muséum américain d'histoire naturelle; Gontran de Poncins; Paulus Leeser avec l'aimable autorisation du Muséum Peabody d'Archéologie et d'Ethnologie, université Harvard — Lee Boltin avec l'aimable autorisation du Muséum américain d'histoire naturelle. 110 — Avec l'aimable autorisation de l'Arizona State Museum, université de l'Arizona, Helga Teiwes, photographe. 116 — Extrait de *Prehistory of North America* de Jesse D. Jennings (After Judd, 1964). Copyright 1968, McGraw-Hill Book Company. Utilisé avec la permission de McGraw-Hill Book Company. 118, 119 — William R. Current. 122 — Extrait de *The Architecture of Pueblo Bonito* de Neil M. Judd. Smithsonian Miscellaneous Collections, Vol. 147, No. 1. Reproduit avec la permission de la Smithsonian Institution. Adaptation de George V. Kelvin. 123 — Extrait de *Prehistory of North America* de Jesse D. Jennings (After Judd, 1964). Copyright 1968, McGraw-Hill Book Company. 126 à 128 — Paulus Leeser avec la permission de The Ohio Historical Society, Colombus. 130 — Leo Johnson avec l'aimable autorisation du Milwaukee Public Museum. 134, 135 — Benschneider avec la permission du Thomas Gilcrease Institute of America History and Art, Tulsa, Oklahoma. 136, 137 — Paulus Leeser avec l'aimable autorisation de la Thruston Collection, université Vanderbilt, Nashville. 139 — Benschneider avec l'aimable autorisation du Stovall Museum of Science and History, université de l'Oklahoma, Norman. 140 — Tony Linck. 142 — Peinture par Victor Lazzaro. 147 à 153 — Gravures par Theodore de Bry, d'après des peintures de Jacques Le Moyne de Morgues, avec l'aimable autorisation du département des Livres rares, The New York Public Library, Astor, Lenox and Tilden Foundations. Les photographies reproduites par Richard Henry figurent aux pages suivantes : 147, 148 à droite, 150 en haut et en bas à droite, 151, 152 en bas et 153.

Remerciements

Pour l'aide précieuse qui leur a été apportée pour la réalisation de cet ouvrage, les rédacteurs tiennent à remercier tout spécialement : David M. Hopkins, géologue chargé de recherches, U.S. Geological Survey, Menlo Park, Californie, et Joe Ben Wheat, conservateur au département d'Anthropologie et professeur d'Histoire naturelle, Muséum de l'université du Colorado, Boulder. Les rédacteurs souhaitent également exprimer leurs remerciements aux personnes dont les noms suivent : James Anderson, conservateur, Cahokia Mound State Park, Cahokia, Illinois; Maud D. Cole, première assistante, département des Livres rares, The New York Public Library, New York City; Frederick J. Dockstader, directeur, Museum of the American Indian, Heye Foundation, New York City; Wilson Duff, professeur d'Anthropologie, université de la British Columbia, Vancouver; Katherine Edsall, chef archiviste, Muséum Peabody d'Archéologie et d'Ethnologie, université Harvard; Rhodes W. Fairbridge, professeur de géologie, université Columbia; Philip C. Gifford, département d'Anthropologie, Muséum américain d'histoire naturelle, New York City; le personnel du Thomas Gilcrease Institute of American History and Art, Tulsa, Oklahoma ; Donald H. Hiser, archéologue municipal, directeur, Pueblo Grande Museum, Phoenix, Arizona ; Willard E. Ireland, bibliothécaire et archiviste régional, Provincial Archives, Victoria, Colombie britannique ; Jesse D. Jennings, professeur d'anthropologie, université de l'Utah, Salt Lake City ; Christopher W. Kirby, Retrieval Advisor, Information Retrieval Section, Office Services Division, Muséums nationaux du Canada, Ottawa ; Jerald T. Milanich, professeur-adjoint d'anthropologie, université de Floride, Gainesville ; Martha P. Otto, conservateur adjoint, département de l'Archéologie, The Ohio Historical Society, Columbus ; Charles A. Repenning, U.S. Geological Survey, Menlo

Park, Californie ; Katherine Wentworth Rinne, Chief Cataloger, Muséum Peabody d'Archéologie et d'Ethnologie, université Harvard ; Elizabeth A. Scheurer, conservateur-adjoint, département de l'archéologie, The Ohio Historical Society, Columbus ; Lewis M. Stark, chef du département des Livres rares, The New York Public Library, New York ; Richard H. Tedford, conservateur du département de la Paléontologie des vertébrés, Muséum américain d'histoire naturelle, New York ; David Hurst Thomas, conservateur-adjoint du département d'Archéologie d'Amérique du Nord, Muséum américain d'histoire naturelle, New York ; John Barr Tompkins, conservateur du département d'Iconographie, The Bancroft

Library, université de Californie, Berkeley ; Robert B. Weeden, professeur d'Organisation en matière d'environnement, université de l'Alaska, Fairbanks ; U. Vincent Wilcox III, conservateur, service des recherches, Museum of the American Indian, Heye Foundation, New York ; Holly R. Woelke, conservateur-adjoint des collections, Muséum de l'État de l'Arizona, université de l'Arizona, Tucson ; H.M. Wormington, chargé de recherches en Anthropologie, muséum de l'université du Colorado et professeur-adjoint d'Anthropologie, Colorado College, Denver ; Walter W. Wright, chef du service des Collections particulières, Dartmouth College Library, Hanover, New Hampshire.

Bibliographie

Bosh-Gimpera, P., *l'Amérique avant Christophe Colomb*. Payot, Paris, 1967.

Braun, Patrick, *les Hommes du Grand Nord*. Éditions spéciales, Paris, 1973.

Catlin, George, *les Indiens de la Prairie*. Club des Libraires de France, Paris, 1959.

Céram, C.W., *le Premier Américain*. Fayard, Paris, 1972.

Cook, capitaine, *Voyages 1778-1779 sur la côte du Pacifique est et de l'Alaska*. Collection La Pléiade, Gallimard, Paris.

Deloria, Vice (Jr.), *Peau-Rouge* (avec carte des tribus indiennes), Éditions spéciales, Paris, 1972.

Giddings, Louis, *Dix mille ans d'histoire arctique*. Fayard, Paris, 1973.

La Salle (Robert Cavelier de), explorateur français : *Expédition dans le golfe du Mexique*, par M. de Villiers. Adrien Maisonneuve, Paris, 1931.

Lehman, Henri, *les Civilisations précolombiennes*. P.U.F. Que sais-je ? n° 567, Paris.

Leroi-Gourhan, André, *Archéologie du Pacifique-Nord: Relations entre les peuples riverains d'Asie et d'Amérique*. Institut d'Ethnologie, Paris, 1946.

Lussagnet, S. (textes d'époque rassemblés par), *les Français en Amérique pendant la seconde moitié du XVIᵉ siècle et les Français en Floride*. 2 vol., P.U.F., Paris, 1958.

Michea, Jean, *Esquimaux et Indiens du Grand Nord*. Société Continentale d'Éditions, Paris, 1967.

Rivet, Paul, *les Origines de l'homme américain*. N.R.F., Gallimard, Paris, 1957.

Victor, Paul-Émile, *Poèmes eskimos*. Éditions Seghers, Paris, 1958. *Eskimos, nomades des glaces*, Hachette, Paris, 1972.

Wissler, Clark, *Histoire des Indiens d'Amérique du Nord*. Robert Laffont, Paris, 1969.

Index

Composition typographique
réalisée par Coupé S.A., 44880 Sautron - France

Imprimé et relié en Belgique par les Usines Brepols S.A.
Printed in Belgium.